La coquetière

Du même auteur,
chez le même éditeur :

La Kamikaze

Linda D. Cirino

La coquetière

Traduit de l'américain
par Claude Bonnafont

LIANA LEVI *piccolo*

1

J'appartiens à une longue lignée de paysans. Et de femmes de paysans. Sur les sacs de maïs pour le bétail, on peut voir l'image d'une femme qui représente exactement les agricultrices telles que je les ai toujours vues – les yeux baissés. J'ignore ce qu'elle est censée faire sur le sac, mais elle est sans doute courbée pour travailler, aux champs ou dans sa maison : raccommoder, cuisiner ou soigner les enfants. Moi, de temps à autre, je lève les yeux vers le ciel, juste pour me rendre compte du temps, voir quelle température le soleil couchant nous annonce pour le lendemain, voir si les nuages vont oui ou non tourner à l'orage avant que ma lessive soit sèche. Mais la plupart du temps, ma tête est penchée comme la sienne. Chez nous, aussi loin que remonte le souvenir, on a toujours travaillé la terre.

Notre exploitation est petite, assez petite pour qu'à nous deux, nous puissions la faire marcher, assez petite aussi pour qu'il ne nous reste rien une fois les comptes bouclés. Nous ne faisons pas partie des grands propriétaires terriens ni des riches fermiers. Nous n'avons pas de pâtures éloignées, louées à une famille pauvre qui les laboure. Nous n'engageons pas d'ouvriers agricoles pour nous aider à rentrer le blé le temps venu. Autrefois, quand nous étions réellement surchargés, nos enfants manquaient l'école pour nous aider. Nous produisons l'essentiel de ce que nous mangeons, mais il ne reste pas grand-chose à vendre au marché. Bien sûr, en été, il nous arrive d'y porter quelques tomates, des légumes verts, parfois des pommes de terre et des oignons, mais agrandir notre petit potager nous donnerait trop de mal pour le mince revenu supplémentaire que nous en tirerions. Il paraît qu'il y a quelques grandes exploitations dans la région, mais ce n'est pas le cas de la nôtre.

Si vous apercevez notre ferme de loin et pour peu que vous ne connaissiez pas cette région du monde, rien ne la distingue de celles qui l'entourent. La maison est petite, l'étable est située sur sa gauche et la basse-cour, qui s'étend devant et à gauche, s'arrête au poulailler. Devant la maison, des fleurs maigrichonnes poussent à côté des marches et le potager se trouve derrière. Plus on approche, plus on constate l'exiguïté de la maison; quatre pièces seulement, plus la chambre froide. À l'étage, les deux chambres à coucher sont juste assez grandes pour contenir les lits; au rez-de-chaussée se trouvent la pièce sur le devant, la cuisine et la chambre froide attenante où nous entreposons nos produits. Quelques marches mènent à la petite véranda qui précède la porte d'entrée et la cloche. Le plus souvent, les étrangers tirent trop fort sur la cloche et tout le monde sursaute : eux, moi et les poulets. En fait, ce n'est pas une sonnette d'entrée mais une cloche sonore qui annonce le déjeuner, le dîner et qui sonne l'alarme. La maison est exactement de la taille qui nous convient et les pièces sont assez spacieuses pour ce que nous possédons. Elle ressemble à celle où j'ai grandi, donc je m'y suis toujours sentie à l'aise.

Dès qu'on approche de la clôture qui court le long de la route et borne la cour près de l'étable, la présence du bétail se fait sentir. Les bêtes pourraient se mêler dans l'enclos mais elles n'en font rien. Les vaches sont groupées près de la barrière, les cochons se vautrent à l'ombre et les poulets se pourchassent dans l'enclos, juste devant le poulailler. L'étranger de passage commence à flairer les vaches bien avant d'être près de chez nous et il lui faut quelque temps pour s'y habituer. Ensuite, ça ne le gêne plus, pas davantage que ça ne me gêne, mais je sais qu'au début, l'odeur est plutôt âcre. Si l'étranger se rapproche, les vaches ne feront pas autant de tapage que les volatiles qui vont se mettre à caqueter frénétiquement et se réfugier dans le poulailler s'ils pensent qu'on veut les regarder. Au bout d'un court moment, le bruit et l'odeur s'atténuent. Ce qui frappe alors, c'est le manque d'organisation qui règne chez nous. Nous avons tant à faire que nous n'avons jamais pu prendre le temps de rendre la ferme plus nette et plus ordonnée. Si bien que la cour est malheureusement sale et encombrée; il faut faire attention où l'on met les pieds, autant que lorsqu'on s'aventure dans l'aire du bétail.

Le potager est envahi de chiendent et d'herbes folles, des fleurs sauvages poussent à leur gré entre les rangées de salades et de betteraves, et tout ça fait un peu fouillis. Mais on ne peut pas se consacrer exclusivement aux légumes quand on a tous les soucis de l'exploitation. Mon mari s'occupe du maïs et du blé dans le champ de l'autre côté de la route. Moi, j'entretiens la maison, le potager et je soigne le bétail. Le matin, avant de partir, il m'apporte l'eau pour la journée et me dit ce que je dois faire. À l'heure du déjeuner, je sonne la cloche pour l'appeler et il termine ce que je ne peux faire seule. Ensuite, il part pour son travail, à l'atelier de taille de pierre, et livre parfois quelques œufs au village qui est sur sa route. Il revient pour le dîner, me demande si la journée s'est bien passée et effectue les réparations nécessaires.

Comme mon mari n'a passé que peu d'années à l'école, c'est moi qui tiens la comptabilité de l'exploitation. Je suis née dans une famille nombreuse et cela ne dérangeait personne que j'aille à l'école jusqu'à mon mariage. On n'avait pas tellement besoin de moi à la maison et mes frères étaient de taille à faire le nécessaire. Si bien que je sais un peu calculer et tenir les livres, ce qui n'empêche pas mon mari de surveiller par-dessus mon épaule et de me harceler tout le temps que j'écris. Je ne dis pas que Hans ne sait pas lire, et il écrit très joliment son nom, mais ces activités ne lui sont pas familières. À ce propos, je doute qu'il ait jamais lu un vrai livre, je veux dire un livre pour adultes, de la première à la dernière page. J'aimais lire des histoires à mes enfants quand ils se couchaient et mon mari les écoutait aussi. Je le sais car, s'il arrivait que je m'arrête avant la fin de l'histoire, parce qu'elle était trop longue, que les enfants s'étaient endormis ou encore parce que j'avais mal à la gorge, Hans me demandait comment elle finissait. Comme je l'ai dit, la maison est petite ; de notre lit dans la chambre voisine ou assis près du poêle au rez-de-chaussée, il pouvait parfaitement m'entendre. J'espérais que les enfants poursuivraient leur scolarité aussi longtemps que possible. Ils ronchonnaient toujours quand je le leur disais mais, pour ma part, j'estimais qu'ils pourraient comme moi en avoir besoin une fois mariés.

Mes enfants grandissaient selon un modèle différent de celui que j'avais connu. Ils participaient à une aventure qu'ils trouvaient très excitante et s'y consacraient avec enthousiasme. Persuadés que le succès de cette entreprise dépendait de leur engagement et de leur obéissance absolus et constants, ils les lui apportaient avec une entière confiance et, en fait, avec joie. Ils y étaient tellement engagés que leurs petites histoires personnelles perdaient toute signification, au point de disparaître entièrement. Nous, les adultes, étions à l'opposé. Pour nous, rien n'avait d'importance que l'exploitation et le fait de survivre d'une récolte à la suivante. Nous nous y consacrions, et tout le reste était balivernes.

De loin, on pourrait penser que la ferme est paisible et reposante, une impression qui tient seulement au fait qu'elle cadre bien avec le paysage. A l'arrière du potager, une petite colline protège la maison et une vaste prairie s'étend derrière l'étable. Les bâtiments – maison, étable et poulailler – se fondent au milieu des arbres et des collines alentour. La ferme se trouve exactement là où il faut et l'on se dit, non sans raison, qu'elle appartient à ce lieu. Ceux qui la possédaient avant nous y sont demeurés une centaine d'années, tout en la morcelant, parcelle après parcelle, jusqu'à ce qu'il en reste la surface actuelle. Ils y seraient toujours et continueraient de l'exploiter si la malaria ne les avait frappés. Ils furent tous atteints et, pour finir, ils durent vendre. Nous étions jeunes alors, et la ferme nous semblait immense, pleine de promesses et de merveilles à venir. À présent, nous savons que les promesses se limitaient à nous faire survivre de saison en saison et que les merveilles à venir n'existaient pas.

J'avais seize ans quand nous sommes venus vivre ici. Je pratique assez les chiffres pour savoir que j'étais alors à un peu plus de la moitié du temps que j'ai vécu. À présent, j'estime être à peu près à mi-chemin de toute mon existence. La maison semblait plus grande quand nous y avons emménagé. De ma vie je n'ai autant nettoyé, autant réparé! Il me semblait que je n'aurais jamais le temps de faire le nécessaire, simplement pour Hans et pour moi. À présent que les deux enfants commencent à vivre leur vie, je me débrouille plutôt bien, mieux qu'alors, en tout cas. J'étais submergée.

Je ne connaissais Hans que de loin quand il demanda à mon père l'autorisation de m'épouser. Je savais où il habitait et mon père s'était renseigné auprès de voisins dont il apprit qu'il était travailleur et n'était pas violent. Il l'a prouvé. Mon père vint me trouver: le temps était venu, il avait parlé à ce garçon qu'il estimait capable de prendre soin de moi et de m'assurer une vie convenable. Mon père ajouta qu'il m'avait élevée jusqu'à ce jour et que, désormais, ce serait le devoir de Hans de subvenir à mes besoins. Quant à moi, mon devoir serait d'être une épouse et, si j'accomplissais tous les devoirs qui incombent à la femme, je ne manquerais de rien pour le reste de mes jours. Mon père était heureux à l'idée de me voir établie et prête à fonder une famille selon les usages. Il dit à Hans qu'il ne pouvait me donner grand-chose en fait de dot mais que, tous les ans, il ferait ce qu'il pourrait le jour de mon anniversaire. Hans donna son accord sur ce point car mon père avait une réputation d'homme honnête et parce qu'il voyait que j'étais forte et capable de l'aider. Il savait que j'avais un peu d'instruction et pensait que je me montrerais habile là où il ne l'était pas. Dans le lit conjugal, il apparut que mon mari en savait aussi peu que moi, alors qu'il avait eu quatre ans de plus pour explorer ce domaine. Son intérêt pour la chose n'était guère fréquent et, s'il se soucia de mon plaisir, il parut l'oublier au bout d'un an environ. Pendant cette première année, il lui arrivait de rentrer à la maison avant que je sonne pour le déjeuner; il me rejoignait au potager, s'étendait près de moi entre les rangs de légumes, me retirait mon tablier et soulevait ma jupe. Lorsqu'il me caressait lentement et m'embrassait dans le cou, je regardais le ciel, je tanguais avec lui jusqu'à ce qu'il soit épuisé et j'éprouvais alors le plaisir.

Avec l'arrivée du bébé, les chances de prendre du plaisir dans le potager s'évanouirent. Jamais je ne refusais ses avances, jamais je n'en faisais. Un bébé vous fait oublier ce genre d'envies. J'aimais le bébé, même s'il semblait que c'était à moi de le prendre en charge jusqu'à ce qu'il soit en âge d'assumer sa part de corvées. Je préférais m'occuper du bébé plutôt que des autres choses dont j'étais responsable, n'empêche qu'il fallait bien les faire.

Mon mari trayait les vaches le matin, avant le petit déjeuner. Il donnait à manger aux chevaux, aux cochons, à la volaille, et ramassait les œufs. Puis il allait aux champs. Je tenais le potager et la maison, je faisais la lessive, la cuisine et, après le déjeuner, une fois mon mari à l'atelier, je m'occupais des bêtes, du bébé et de tout le reste. Ce n'était pas vraiment difficile mais ça n'arrêtait pas. Jamais un moment de répit. Peu après la naissance du premier bébé, je fus enceinte du second et, jusqu'à ce qu'ils aillent en classe, je n'ai cessé de trimer.

Je ne peux me plaindre de mon mari. Il travaille dur et fait de longues journées. Quand nous décidâmes de prendre la ferme, il savait, malgré tout, que ce serait difficile d'en vivre. L'exploitation est plus ou moins mon affaire, à ceci près qu'il y consacre ses matinées. Si je n'étais pas là pour la faire tourner, il ne serait pas de taille à la mener seul. Il devrait s'installer au village et travailler à plein temps à l'atelier. Nous sommes depuis toujours des paysans, tous les deux, si bien que cet arrangement est préférable.

L'apparence de mon mari en dit beaucoup sur ce que c'est que de vivre avec lui. Son visage est mince, allongé, creusé de sillons qui descendent des pommettes au menton. Il a les yeux bleu clair, les cheveux brun foncé à la racine avec une couche plus claire, presque blonde, par-dessus ; quand ils lui tombent pratiquement dans les yeux, c'est moi qui les lui coupe. Ils sont drus et brillants, et il les coiffe toujours de la même façon, avec la raie légèrement décalée vers la gauche. Il rit très rarement. Parfois, les enfants l'amusaient. Le plus souvent, il garde les lèvres serrées, droites; jamais elles ne changent, ni vers le haut, ni vers le bas. C'est comme si son visage n'avait aucune expression. Je peux seulement dire s'il est contrarié, ennuyé ou fatigué, mais mon père l'avait bien jugé : jamais il ne s'est emporté contre moi, jamais il ne m'a menacée. Jamais non plus Hans n'a été amoureux ou tendre. Le plaisir que nous avons partagé n'était pas une marque de sentiment mais celle d'un besoin physique. De notre vie commune, je dirais qu'elle est occupée. Le temps manque pour penser aux sentiments, à supposer qu'il y en ait. Mon mari et moi vivons selon les traditions d'une race de cultivateurs qui n'en connaît pas d'autres. Chaque jour reproduit le jour précédent, et ça ne varie que selon les saisons. On trouve un certain réconfort à répéter les travaux quotidiens. Dans une exploitation agricole, chacun sait qu'il est utile à la croissance du bétail et du blé. Si nous n'étions pas là, personne ne reprendrait la ferme.

Beaucoup de gens vont à la ville en ce moment, mais nous en savons très peu sur le sujet. Depuis notre arrivée, nombreux sont les voisins qui sont partis d'ici, abandonnant complètement l'agriculture. Qui peut dire ce qu'ils sont devenus?

À quoi ressemble la vie dans les villes, grandes ou petites, nous n'avions aucun moyen de le savoir. Hans rapportait parfois à la maison les propos de tel ou tel ouvrier de l'atelier qui avait vécu en ville, mais nous faisions peu de cas de ces racontars. Une fois, il m'a parlé d'une place, au centre d'une ville, où des milliers de personnes peuvent se rassembler. Il n'a pas discuté avec l'ouvrier qui dit l'avoir vue mais, quand il

15

m'a raconté l'histoire, il m'a dit que lui-même n'y croyait pas. Que c'était de la pure exagération.

Mon expérience étant limitée aux travaux agricoles, je ne pouvais imaginer comment d'autres trouvaient à s'occuper dans une ville, sans bétail, sans champs à entretenir. Si je devais être subitement transportée dans une ville, me disais-je, j'y serais aussi désarmée qu'un bébé, incapable de pourvoir à mes besoins, même les plus élémentaires, tels que la nourriture et les vêtements. Dans mon imagination, tout devait se faire différemment en ville et il était indispensable d'apprendre une façon tout à fait neuve d'utiliser chaque moment de la journée.

À l'époque dont je parle, les choses évoluaient autour de nous mais nous étions trop surmenés pour nous en rendre compte. Et, soyons honnêtes, cela nous intéressait médiocrement. Nous nous étions mariés après la Grande Guerre et nous étions installés dans la ferme que nous habitons toujours. Au début, nous avions cru pouvoir nous en tirer simplement en l'exploitant, mais quand les temps devinrent durs pour nous, ils le devinrent pour tout le monde. Les prix du blé et des pommes de terre dégringolaient, et lorsque Hans se mit en quête d'un travail pour compléter nos revenus, il n'en trouva pas. Après deux mauvaises années, si mauvaises que nous avons dû demander à mon père une aide supplémentaire pour nous en sortir, les choses commencèrent à repartir et mon mari trouva ce travail au chantier de taille ; un mi-temps seulement, mais qui nous aida à nous rétablir.

Un après-midi – Hans était donc à son chantier –, un employé du Bureau gouvernemental du ravitaillement se présenta et inspecta l'exploitation, notant par écrit ce qu'il voyait. Il m'informa que nous pourrions avoir droit à des avantages, tels que des prêts ou des réductions de prix sur la nourriture pour le bétail. Au village, des bruits couraient à ce sujet et mon mari en avait entendu parler. Pour bénéficier de ces nouveaux avantages, il fallait produire nos extraits de naissance et ceux de nos parents. Nous l'avons fait et nous avons effectivement obtenu la nourriture pour le bétail à des prix moins élevés; si nous avions eu besoin d'un prêt, on nous l'aurait accordé. À dater de cette visite, l'employé du gouvernement revint régulièrement inspecter l'exploitation, en général l'après-midi, et il inscrivait dans son registre tous les changements, comme la naissance de porcelets, le nombre de boisseaux de pommes de terre que nous avions récoltés et autres détails. Parfois, il me suggérait d'adopter une méthode un peu différente et je transmettais à mon mari. Le plus souvent, il s'agissait de points de détail et nous suivions le conseil ou nous laissions tomber.

Le grand changement pour nous survint, bien sûr, quand mon mari fut appelé sous les drapeaux. Un jour, au retour de l'atelier, il m'apprit que tous les hommes allaient être mobilisés. Nous avions très peu d'argent de côté. Néanmoins, Hans me fit part de son intention d'en offrir à l'employé du gouvernement pour qu'il déclare que notre exploitation était nécessaire aux préparatifs de guerre. Ce qui voudrait dire que Hans n'aurait pas à rejoindre l'armée et resterait chez nous à travailler la terre. L'employé prit l'argent que mon mari lui présentait, disant qu'il allait voir ce qu'il pourrait faire. À mon avis, la somme était trop mince : Hans dut rejoindre l'armée et nous n'avons jamais récupéré nos économies.

Avant de partir, il m'expliqua comment il voulait que je conduise nos affaires en son absence. D'après lui, je serais capable de tout faire marcher à moi seule, mais les enfants devraient m'aider. Il me dit de porter mon effort sur deux points : le potager, pour que nous ayons toujours de quoi manger, et la basse-cour. Il estimait que les poulets pourraient être notre source de revenus extérieurs. Nous allions en augmenter le nombre et, un jour sur deux, j'irais vendre les œufs au village, ce qui nous rapporterait assez d'argent pour continuer. Avant de partir, Hans agrandit un peu le poulailler, dont il remplaça quelques planches pourries, et posa devant une clôture qui délimitait une aire où les poulets seraient séparés des autres bêtes. Il m'expliqua comment je devais m'y prendre avec les poulets et où apporter les œufs.

Mon mari avait raison de dire que nous nous en tirerions seuls. Tout ne s'est pas passé exactement comme il l'avait prévu mais nous nous sommes débrouillés. Le premier problème que je dus affronter fut celui des enfants. La ferme avait besoin de leur énergie pour fonctionner sans à-coups. Avant de partir, Hans nous avait assigné nos tâches respectives. Ma fille devait traire les vaches l'après-midi et s'occuper du gros bétail ; mon fils entretenir les champs, puiser l'eau chaque matin avant l'école, veiller à ce que l'outillage soit en état et se charger des réparations. Ce beau programme s'est vite déréglé car les enfants passaient de moins en moins de temps à la maison. Un jour, j'ai demandé à mon fils :

– Pourquoi rentres-tu si tard?

– Ma patrouille de H.J.[1] avait une réunion, m'a-t-il répondu.

– Et pourquoi n'as-tu pas dit à ton chef de la Jugend que tu devais rentrer tôt pour aider chez toi? demandai-je.

– La Jugend est plus importante que la ferme, répliqua-t-il. Je leur ai déjà dit qu'il fallait que je rentre et ils m'ont puni pour avoir manqué des réunions.

– Tu pourrais peut-être quitter la Jugend, suggérai-je. Ton père est sous les drapeaux. Est-ce qu'il ne suffit pas qu'un homme de la famille travaille pour la patrie? Surtout quand on a besoin de toi ici.

– Mais on est tous dans la même situation! S'ils doivent encore me punir, ils douteront de mon engagement et, pour finir, ils m'expulseront. S'ils m'expulsent, je serai catalogué comme provocateur et plus personne n'osera acheter nos œufs.

Je n'en dis pas plus et mon fils continua; il revenait de plus en plus tard de ses réunions de la Jugend et le champ prenait des allures de friche. Lors de son passage, l'employé du gouvernement vit qu'il était à l'abandon, me demanda pourquoi et nota des observations dans son registre.

Ma fille aussi commençait à passer plus de temps à la B.D.M.[2] et je me retrouvai submergée de corvées

---

1. H.J.: de Hitler Jugend, organisation unique de la jeunesse allemande; obligatoire à partir de 1936, elle regroupait garçons et filles jusqu'à l'âge de 18 ans. Les initiales H.J., prononcées «ha-yot», désignaient aussi les membres de l'organisation. *(N.d.T.)*

2. Bund Deutscher Mädel: à l'intérieur de la Hitler Jugend, organisation qui regroupait les filles de 14 à 18 ans. *(N.d.T.)*

supplémentaires. À présent, je devais traire les vaches matin et soir, entretenir le potager, faire la cuisine, la lessive, le ménage, prendre soin de la volaille. Et tous les deux jours, j'allais au village livrer les œufs.

Quand l'employé du gouvernement déclara qu'il me fallait vendre les chevaux, je sus qu'il avait raison. Je ne pouvais les garder plus longtemps, les nourrir et veiller à ce qu'ils soient en bonne santé alors que nous les utilisions si rarement pour travailler le champ. En fait, quand l'employé en parla, ma première réaction fut de le remercier; cette solution était pour moi un soulagement. Quand je revenais du village, j'étais saisie par l'état du champ et par tous les autres travaux plus urgents qu'il y avait à faire.

Nous vendîmes les chevaux. L'employé du gouvernement s'en chargea pour moi car je n'avais aucune idée de la façon dont il fallait régler ce genre d'affaire. Je ne savais pas à qui les vendre, ni quelle somme je pouvais en obtenir. Avec l'argent, nous avons acheté du tissu pour renouveler nos vêtements et de la nourriture de meilleure qualité pour les poulets.

En juin, quand mon mari nous quitta, nous avions à peu près vingt-cinq pondeuses et quatre coqs. Nous avions discuté avec le fonctionnaire des mesures à prendre pour que la basse-cour atteigne cent unités. Nous allions recevoir de la nourriture en plus grande quantité et notre quota mensuel augmenterait en fonction de notre progression. La première étape consistait à ne vendre que les poules les plus vieilles et franchement capricieuses. Les autres, on les laisserait couver l'année suivante autant de poussins qu'il nous serait possible. Puis, les six derniers mois de l'année, nous garderions toutes les poulettes, même si elles ne pondaient pas. Tel fut notre premier investissement pour accroître notre production d'œufs. La nourriture supplémentaire, nécessaire à l'alimentation des volatiles provenait en partie de notre champ. La récolte de blé était abondante cette année-là car mon mari avait semé une nouvelle parcelle.

Mon mari revint en permission peu après la vente des chevaux. Il comprit qu'il avait fallu s'y résoudre et passa l'essentiel de ses deux semaines à rentrer le blé. On lui avait accordé une permission à cette date exprès pour qu'il puisse aider aux moissons. Il était content que les œufs nous assurent un petit revenu et espérait que leur vente répondrait à nos besoins au fur et à mesure que la volaille augmenterait. Un après-midi, alors que mon mari travaillait dans le champ, je me rendis au poulailler pour ramasser les œufs. Je fredonnais la rengaine que les poulets aiment entendre, afin qu'ils sachent que c'était moi. Je chantonne toujours le même air car j'ai l'impression que ça les calme un peu et les prépare à me voir ouvrir la porte. Cette fois, quand je poussai la porte, quelqu'un me saisit par-derrière, une main se plaqua sur ma bouche, une voix murmura à mon oreille :

– Je vous en prie, ne criez pas, je ne vous ferai pas de mal. Je vous en prie, laissez-moi rester. Ma vie est en danger. Je vous en prie, ne me dénoncez pas ou je serai tué.

J'essayai de voir qui me tenait mais l'homme m'avait empoigné les bras, il se tenait derrière moi et me parlait à l'oreille. Mon cœur battait la chamade. Sa voix était affolée mais rassurante : je sentis aussitôt qu'il ne me ferait pas de mal et qu'il était vraiment en danger. Il me fit tourner face à lui pour que je puisse le voir et ôta sa main de ma bouche, tout en me signifiant de ne rien dire, de ne pas appeler, en m'implorant du regard de ne pas trahir sa présence. Dès que je vis son visage, je me détendis. Ce n'était pas un criminel, c'était un homme absolument terrifié qui n'avait pas l'intention de m'attaquer. Sans rien dire, je le regardai dans les yeux et mon corps se relâcha. Il baissa les yeux sur sa personne pour voir ce que moi-même j'avais vu et qui m'avait calmée, puis se mit à brosser les brins de paille et la sciure qui couvraient ses vêtements. Comme je restais immobile devant lui, incapable de parler ou d'amorcer un geste, il m'expliqua d'une voix basse et rauque d'où il venait :

– Je me suis évadé. Je suis étudiant à l'université. On m'a mis dans un camp parce que je refusais de quitter l'université. Je me suis évadé… Je vous en prie, laissez-moi rester ici. Je ne vous ferai pas de mal. Je vous en prie, ne me dénoncez pas. Si vous le faites, je serai tué sur-le-champ.

Je ne disais toujours rien, je ne bougeais pas, mais mon cerveau s'était emballé. Pas une seconde je n'ai songé à le dénoncer. Ni lui ni sa présence ici ne me faisaient peur. Je savais que Hans travaillait de l'autre côté de la route mais je n'avais pas besoin d'être rassurée car je ne craignais rien. Je savais quoi faire et je le ferais. J'agis avec décision, comme si découvrir un fugitif dans le poulailler était un événement ordinaire. Je me dirigeai vers le recoin sous le perchoir et fis signe à l'homme de me suivre. Tête baissée, il se glissa sous les planches, trouva l'endroit que la lumière n'atteignait pas, s'y accroupit et, comme je faisais demi-tour pour m'éloigner, il me saisit la main et me regarda dans les yeux, avec gratitude. Il n'avait pas besoin de parler, je voyais dans son regard ce qu'il éprouvait. Je ramassai les œufs et quittai le poulailler.

Dehors, je sentis que j'étais plus agitée que je n'avais cru. Mon corps tremblait, mon cœur et mon sang battaient trop vite et je cherchais des yeux quelque indice de la présence d'autres étrangers. Peut-être, pensai-je, s'en trouve-t-il d'autres dissimulés dans l'étable ou dans la maison. Peut-être mon mari a-t-il été lui aussi abordé par un inconnu. Je ne vis aucun signe d'une autre présence aux alentours; rien ne laissait supposer que l'homme dans le poulailler avait pu être observé.

Le temps de déposer les œufs dans la chambre froide, j'avais rétabli le calme dans mon corps et retrouvé l'expression normale de mon visage. À cet instant, je ne me posais pas encore la question de savoir si j'allais ou non le dire à mon mari; je m'efforçais simplement de me remettre des chocs successifs: la surprise, le coup de frayeur au début, le fait que j'avais tacitement accepté que cet homme se cache dans le poulailler. Je ne savais pas encore avec certitude s'il fallait aussi le dissimuler à mon mari. J'étais encore occupée à me calmer, tout en calibrant les œufs, quand mon mari entra dans la maison pour me parler du champ:

– Karl pourrait vraiment me donner un coup de main pour rentrer le blé, se plaignit-il.

Aujourd'hui, quand j'y repense, je me rends compte que c'est à cet instant précis que j'aurais dû parler à mon mari de l'homme dans le poulailler.

J'aurais dû l'interrompre, lui dire qu'il m'était arrivé une chose étonnante, qu'un homme m'avait empoignée dans le poulailler et qu'il était caché sous le perchoir. Mais je n'étais pas prête à lui en parler. Je ne savais pas alors que ce ne serait jamais le bon moment pour le faire. Le secret a été créé à cet instant, sans préméditation, en toute innocence. Le secret a germé de ces premières occasions où j'aurais pu parler à mon mari et où, sans réfléchir, d'intuition, je ne l'ai pas fait. Je n'avais pas à l'esprit l'idée de protéger l'homme ; je n'avais pas l'impression que je le cachais, plutôt qu'il était là. Je ne comprenais pas quel danger il fuyait mais, quand je l'avais quitté, il y avait eu ce regard dans ses yeux qui me disait que je ne révélerais pas sa présence. Quand il m'avait tendu la main et m'avait fixée avec tant d'intensité, son regard m'avait rappelé un chien que nous avions eu ; quand il avait commis quelque méfait, il demeurait tapi tout tremblant et nous jetait des coups d'œil furtifs, reconnaissant sa vulnérabilité mais nous implorant de lui faire la faveur d'oublier le méfait. À travers le regard direct de ses yeux sombres, tout droit plantés dans les miens, l'homme m'avait donné sa confiance : il savait que je ne le trahirais pas, que je ne révélerais pas sa présence ; et il m'avait promis qu'il n'oublierait jamais qu'il me devait ce moment précis de son existence.

Pendant que je calibrais les œufs, que je les frappais légèrement l'un contre l'autre pour vérifier qu'ils n'étaient pas fêlés, tout en prêtant une oreille distraite aux instructions de Hans concernant l'entretien du champ, je pensais à ce qui s'était passé dans le poulailler. J'ignorais pourquoi cet homme en était venu à se réfugier là mais quelque chose s'était passé entre nous; de cela j'étais sûre. À présent, je protégeais cet homme, y compris de mon mari.

De ce moment, l'homme dans le poulailler occupa mes pensées. Les enfants revenus de classe s'attelèrent à leurs besognes. Et moi, tout en préparant le repas, puis en soupant, puis en rangeant la cuisine, je pensais au moment où j'irais changer l'eau et nourrir les poulets. Je repousse toujours le plus tard possible cette dernière distribution pour qu'ils aient encore de quoi picorer quand ils se réveillent et pour ne pas être éveillée, moi, par leurs piaillements revendicateurs. Pendant que je vaquais à mes occupations quotidiennes, l'idée de revoir cet homme dans le poulailler me préoccupait. J'avais subrepticement glissé un morceau de pain et une pomme de terre de notre dîner dans la poche de mon tablier, au lieu de les mettre de côté. Nous donnons souvent aux volailles les restes de nos assiettes et les déchets de la cuisine. Cette fois, j'emportai de l'eau fraîche, du maïs et du blé frais, plus ce que j'avais dans ma poche. En traversant la basse-cour pour aller au poulailler, je m'efforçai de ne pas presser l'allure et me mis à fredonner mon air habituel. Hans qui réparait un outil devant l'étable aurait pu voir ce que je faisais par la porte ouverte du poulailler. Chantonnant toujours, je tirai le loquet, entrai et posai le seau d'eau à l'intérieur. Avant de ramasser l'abreuvoir pour vider l'eau croupie, je jetai derrière moi le pain et la pomme de terre dans le coin obscur sous le perchoir, sans cesser de fredonner. Je vidai l'eau par la porte en surveillant l'endroit où mon mari s'activait, puis je rentrai dans le poulailler. Je versai l'eau propre, le grain, et d'un coup d'œil circulaire, j'examinai rapidement les volatiles. Je vis qu'il mangeait déjà le pain, à croupetons sous le perchoir, et qu'il me regardait. Je fermai la porte et sortis.

Couchée dans mon lit près de mon mari, je me félicitai d'avoir donné le pain et la pomme de terre à l'étranger. Je m'interrogeais sur ce qu'il avait voulu dire quand il avait parlé d'évasion, de camp, d'exécution. Je fus tentée de questionner Hans, qui devait être au courant de ces choses, mais ne voyais aucun moyen d'aborder ce sujet sans révéler la présence de l'homme dans le poulailler. Hans devait repartir pour l'armée trois jours plus tard mais je ne craignais pas qu'il découvre l'homme. Je ne pensais pas le garder ici pendant trois jours à l'insu de tous. Je me demandais s'il serait là le lendemain matin quand j'irais nourrir les poulets.

Pendant les trois jours suivants, je maintins mon train-train habituel. Quand je préparais les repas, je forçais un peu sur les proportions pour en apporter une portion à l'homme dans le poulailler. Apparemment, mon mari ne s'en aperçut pas; ses pensées étaient occupées par son retour à l'armée et par ce qui l'attendait là-bas. Rien dans son attitude ne trahissait la crainte que son départ pourrait m'affecter, mis à part la nécessité pour moi de faire vivre l'exploitation et nous tous, essentiellement en vendant les œufs. À vrai dire, il ne parlait guère de quoi que ce soit, excepté pour nous répéter ses instructions. Les enfants et moi nous l'écoutions sans élever d'objections car il allait bientôt repartir et nous nous retrouverions entre nous. Juste avant que Hans nous quitte, j'eus un moment l'impression qu'il était peut-être sur le point de nous dire que nous lui manquerions, mais je me trompais ; en fait, il était préoccupé de sa propre survie et nous tenions une place très mince dans ses pensées.

Chacun de nous était absorbé par son dilemme personnel. Il fit allusion aux rumeurs de guerre qui circulaient dans les garnisons ; à côté, vendre des œufs devait paraître bien anodin. Je craignais de n'être pas capable de mener à bien ce projet et de devoir abandonner la ferme. Après tant d'années de labeur, cette éventualité nous apparaissait à tous deux comme un désastre. C'était à moi qu'il revenait d'empêcher que nous la perdions et je n'étais pas sûre d'y parvenir.

Il partit un dimanche ; les enfants étaient à la maison et, tandis qu'il s'éloignait en direction du village, nous étions postés sur la route, comme toute autre famille l'aurait été. Lorsqu'il atteignit le virage, il se retourna et agita le bras ; nous étions toujours là sur la route, attendant cet instant, et nous lui répondîmes en agitant les bras. De là-bas, il voyait la maison, l'étable et la cour, le champ de l'autre côté de la route, toute l'exploitation, y compris les enfants et moi dans nos habits du dimanche, mais pas les détails révélant les choses telles qu'elles étaient. Nous avions l'air d'être sortis d'un livre d'images, mais ce n'était pas ce que nous ressentions. Je pensais davantage à l'homme dissimulé dans le poulailler qu'à l'homme là-bas sur la route qui rejoignait l'armée.

Le lendemain, une fois les enfants partis pour l'école, je filai droit au poulailler, fredonnant automatiquement pour apaiser les poulets. Je les avais déjà nourris et abreuvés, et j'avais ramassé les œufs du matin mais, depuis l'arrivée de l'homme dans le poulailler, c'était la première occasion que j'avais de parler avec lui. Quand j'ouvris, il n'était pas sous le perchoir mais debout près de l'embrasure de la porte. Ayant vu mon mari partir la veille et les enfants ce matin, il me savait seule à la maison. Il m'accueillit en me serrant contre lui et en répétant sans arrêt : «Merci, merci, merci…» De nouveau, son contact me stupéfia car je n'étais pas habituée à de telles étreintes. Je m'écartai de lui et le regardai vraiment pour la première fois. Son accueil m'avait destabilisée. Je fermai les volets des fenêtres pour calmer les volatiles de façon que nous puissions parler un moment sans les surexciter.

Des taches de boue parsemaient ses vêtements d'une teinte brune indéfinissable. Les revers et les poches de son pantalon et de sa chemise étaient déchirés et le tissu s'effilochait autour des accrocs. Le pantalon tombait sur ses hanches, comme s'il avait une ou deux tailles de trop, et le bas des jambes traînait dans le fumier pailleux du poulailler. Son visage avait une expression douce, ses lèvres esquissaient un sourire. Ses yeux et ses sourcils accompagnaient avec véhémence ses propos. Il avait une barbe d'un demi-pouce, aussi noire que ses cheveux trop longs et indisciplinés. Il portait une paire de lunettes instable, à laquelle manquait une branche et dont un verre était fêlé, mais il ne pouvait manifestement pas s'en passer. Sous son apparence déguenillée se devinait une grâce naturelle. Il parlait de façon calme et tranquille, et néanmoins très intense.

– Merci de m'avoir apporté à manger, madame. Je vous suis très obligé de votre gentillesse. J'ai bu un peu de l'eau des poulets. J'espère que c'était permis. Merci de m'avoir sauvé la vie, madame.

– Pourquoi ta vie est-elle en danger, jeune homme ? demandai-je. Et d'abord, quelle sorte d'endroit fuyais-tu ? Qu'avais-tu fait ?

– Je n'ai rien fait du tout. On m'a ordonné de quitter l'université parce que je ne pouvais pas présenter les papiers voulus. J'ai refusé de partir. Je dois terminer mes études. J'ai été arrêté, conduit dans un camp à Mauernich et je m'en suis échappé.

– Mauernich ? Où est-ce ?

– À l'est d'ici, à environ trois jours de marche.

– Combien de temps devais-tu rester dans ce camp ? demandai-je.

– Je ne sais pas. J'ai dû y passer un peu plus d'un mois. Je pense que c'était juste un lieu de transit. Ils voulaient m'expédier ailleurs, me faire quitter le pays, dit-il.

– Simplement parce que tu n'avais pas les papiers qu'il fallait ?

– C'est à ça que ça revient, madame, répondit-il.

– Qu'as-tu l'intention de faire ? demandai-je.

– En fait, madame, je n'ai aucun projet. J'espérais que vous me laisseriez rester ici un moment, répondit-il.

– Pour quelques jours encore, il n'y a pas de problème, dis-je d'un ton brusque en ouvrant les volets des fenêtres, déroutée à la fois par ce qu'il avait dit et par l'impression que tout n'avait pas été dit.

En revenant vers la maison, je pressentais que ce ne serait pas l'affaire de quelques jours. Je n'avais pas vraiment compris pourquoi il avait été arrêté et envoyé dans ce camp. Il avait répondu à toutes mes questions et, pourtant, je n'avais aucune idée de ce qu'il avait fait. Quelles autres questions lui poser ? Je n'en voyais pas, alors même qu'il semblait disposé à répondre à toutes mes demandes, et honnêtement, m'avait-il paru. J'avais besoin de temps pour réfléchir à ces bribes de renseignements afin de leur trouver un sens et de savoir quelles précisions lui demander. Le fait est que nous avions parlé ensemble plus longtemps que je n'en avais l'habitude avec quiconque. Je n'avais pas assez d'expérience de la conversation pour l'interroger.

Ce soir-là, quand je lui apportai à manger, je lui tendis aussi un seau en guise de toilettes, que j'emportais désormais chaque matin aux cabinets extérieurs en même temps que celui que nous utilisions pour le même usage le soir à la maison.

Une semaine s'écoula de la sorte. Puis mes enfants furent désignés pour participer à une randonnée en montagne avec leur patrouille de la Jugend. Karl prépara son équipement et partit le vendredi après-midi après l'école pour rejoindre sa patrouille. Son père l'avait autorisé à y participer. Olga avait repassé son uniforme et son foulard, préparé son bagage, y compris son travail de couture, et elle était partie pour un week-end d'atelier et d'arts ménagers. Quand je fus seule à la maison, l'homme mis à part, j'allai comme d'habitude au poulailler après le dîner, avec de l'eau, de la nourriture pour les poulets et de quoi manger pour lui. Cette fois, personne n'étant là pour m'observer, je lui apportai une bonne assiette pleine. En m'occupant des poules, je l'entendis manger goulûment et racler l'assiette comme un affamé. J'avais bêtement pensé que le peu que je lui avais donné jusqu'à présent suffirait à un homme de sa taille et de son âge. Bien entendu, ces quantités étaient loin d'avoir calmé sa faim. Je les avais crues considérables parce que j'avais dû ruser pour les soustraire à nos plats et les lui lancer sous le perchoir, comme à un chien. Je me maudissais d'avoir été aussi stupide et, de ce jour, je lui réservai une portion égale aux nôtres. Je me débrouillai pour lui porter quelque chose dans la matinée et à midi, jusqu'à ce que j'estime qu'il avait assez pour ne pas souffrir de la faim.

Le lendemain, samedi, quand j'arrivai, je lui demandai s'il aimerait venir un moment à la maison. Il accepta aussitôt et traversa prudemment la cour à ma suite jusqu'à la maison. Il s'assit dans la cuisine pendant que je rassemblais ce dont j'avais besoin pour aller au village. Comme tous les samedis, c'était jour de marché et je pris mon plus grand panier pour les œufs, plus deux poulets que je voulais vendre. Il me regardait préparer mes affaires : les œufs dans le panier que je portais en bandoulière sur mon épaule, les deux poulets qui battaient faiblement des ailes d'une main, et un sac de pommes de terre et d'oignons de l'autre. J'allais me faire une jolie petite somme, ce jour-là, de quoi acheter plus de nourriture et peut-être un morceau de viande.

– Je pense que tu peux rester ici jusqu'à mon retour, lui dis-je.

Ce devait être éprouvant de passer toute la journée tassé sous le perchoir en compagnie des poulets. C'est pourquoi je lui permis de rester à la maison.

Quand je revins au début de l'après-midi, les pièces du rez-de-chaussée étaient vides; en montant l'escalier, je vis par la porte ouverte qu'il était étendu sur mon lit. Le bruit de mes souliers sur les marches de bois l'éveilla et, quand j'entrai dans la chambre, il s'assit sur le bord du lit.

– J'espère que vous n'êtes pas fâchée mais il y avait si longtemps que je n'avais pas pu étendre mes jambes et que je n'avais pas dormi dans un bon lit... Je ne veux pas dire que le poulailler n'est pas assez bon, il me suffit tout à fait et je vous suis reconnaissant de me laisser l'utiliser, mais ce lit m'a rappelé des souvenirs... Je n'ai pas pu y résister. J'espère ne pas vous avoir offensée en dormant sur votre lit.

– Non.

Le voir assis sur le bord du lit m'avait surprise; en dehors de mon mari, moi-même et bien sûr les enfants, il était la seule autre personne qui soit jamais entrée dans cette chambre. Je ne me sentais pas offensée qu'il ait utilisé le lit, mais stupéfaite qu'une telle chose ait pu se produire. C'était comme si, en me regardant dans la glace pour nouer mes cheveux, j'y avais vu un nouveau visage. C'était totalement inattendu et plutôt inquiétant. Vivre dans le poulailler, je n'avais pas vraiment mesuré ce que c'était. Ma réaction, je le compris, avait inspiré ses explications et ses excuses mais, en fait, je n'étais que surprise.

– J'ai fait de bonnes affaires au marché, dis-je. Je reviens les mains vides et les poches pleines.

– J'en suis heureux pour vous. Y avait-il beaucoup de monde? De quoi parle-t-on au village?

– Je ne parle pas avec les villageois. Je vends juste ce que j'ai apporté.

– Oh, je vois.

– As-tu envie de manger?

– Oui, merci.

Il descendit l'escalier derrière moi pour aller à la cuisine. Ses pas résonnaient dans mon dos et cette démarche inconnue me rappela que nous étions seuls dans la maison et seuls à le savoir. Avant son irruption, je n'avais jamais rien changé à la vie routinière de la ferme. Je ne voyais rien d'inconvenant à la situation présente mais, à coup sûr, personne chez nous ne l'aurait imaginée. Hans n'aurait pu concevoir que je sois dans notre cuisine en compagnie d'un jeune homme inconnu, en train de nous préparer un repas. Et mes enfants n'avaient jamais vu chez nous un visiteur ou un étranger. La présence du fugitif dans la cuisine était une nouveauté. Je préparai de quoi dîner, quelques légumes pour la soupe, et mis le tout à mijoter sur la cuisinière. Assis à la table, il ne me quittait pas des yeux. Il ne semblait pas pressé de manger mais prenait plaisir à me voir préparer la nourriture. Ses yeux fixaient constamment mes mains.

Quand nous fûmes assis à table en face l'un de l'autre, en train de manger notre repas, il dut se rendre compte du caractère inhabituel de l'événement. Pour lui, manger à table comme un membre de la famille, dans une cuisine chaude et sans poulets picorant à ses pieds, devait être très agréable. Quant à moi, je levai les yeux et, au lieu de mon mari, je voyais ce jeune homme aux yeux très sombres et aux cheveux brun noir, épais et bouclés. Chaque fois que je relevais la tête, j'étais aussi stupéfaite de ne pas trouver mon mari. D'une fois sur l'autre mes yeux avaient oublié, alors que moi, je ne pouvais pas oublier une seconde avec qui je partageais ce repas. Le silence entre nous était totalement différent du silence qui planait au-dessus de la table quand mon mari et moi dînions ensemble. Cette fois, le silence s'apparentait à une pause tranquille. Loin de lui jeter de rapides et furtifs coups d'œil, je levais les yeux, les posais sur lui et le regardais manger jusqu'à ce qu'il sente mes yeux sur lui, qu'il me regarde et je baissais alors les miens, sans hâte mais par timidité. Je me sentais intimidée, embarrassée ; j'avais du mal à me faire à la nouveauté de la situation. À un moment donné, nos regards se croisèrent au-dessus de la table ; lui me regardait déjà et moi je levai les yeux de mon assiette de soupe et, oubliant ma timidité, je gardai mes yeux levés vers lui et continuai de le fixer.

Quand nous eûmes fini de manger, il porta sur l'évier son assiette et la vaisselle qui était sur la table. Il vit que je manquais d'eau – je n'avais pas renouvelé ma provision le matin –, alors il prit le seau et alla au puits où il nous avait vus le remplir. Je pus ainsi terminer la vaisselle, ce qu'il me regarda faire, debout près de moi.

Il était temps maintenant de nourrir et d'abreuver les poulets ; il me demanda s'il pouvait porter le seau et je le laissai faire. Nous sommes allés au poulailler et nous nous sommes occupés des poulets. Quand ce fut terminé, je sentis qu'il serait dur pour lui de dormir là, sous le perchoir alors qu'il pourrait très bien rester à la maison.

– Les enfants ne vont pas rentrer ce soir. Peut-être que tu aimerais rester à la maison, pour une fois.

– Ça me plairait beaucoup, dit-il.

Il revint donc à la maison avec moi pour y passer la nuit. Je sortis quelques vêtements à raccommoder, ma boîte à couture et m'installai dans mon fauteuil habituel. Il s'assit dans l'autre fauteuil, celui que Hans occupe généralement, et il me regarda. L'impression ne me quittait pas qu'il souhaitait me dire quelque chose. Mais bavarder n'était pas dans mes habitudes et je n'avais rien à dire, si bien que nous restâmes simplement assis en silence. Cette fois, il y avait une gêne dans l'air et, pour finir, le sentiment qu'il voulait me parler me devint si pesant que je lui demandai :

– Tu veux me dire quelque chose ?

– Beaucoup de choses. Mais je ne sais par laquelle commencer.

Et moi je ne savais que répondre à cela. Je l'avais invité à dire ce qu'il voulait, et il coupait court en ne disant rien. Un moment plus tard, le malaise persistant dans la pièce, il dit :

– Je veux vous remercier de votre bonté envers moi. J'ai eu tant de temps pour réfléchir. Non seulement la semaine passée, mais toute l'année dernière et plus encore. Je me suis senti comme la fontaine sur la place, que tout le monde connaît, voit tous les jours et à laquelle personne ne fait vraiment attention. J'ai senti que les gens se moquent de ce que j'éprouve. À l'université, on a commencé par m'ignorer. Mes professeurs refusaient de me donner la parole et quand je prenais rendez-vous pour discuter de mon travail avec eux, ils refusaient de me recevoir. Ils m'ont recalé dans toutes mes matières. Les étudiants m'ignoraient. Ils me frôlaient sans me regarder, m'éjectaient des bancs, me bousculaient pour que mes livres s'éparpillent dans la boue, renversaient de l'encre sur mes copies. Ces étudiants étaient semblables aux gens qui voient une fontaine sur la place et décident qu'elle représente quelque chose qui leur déplaît. Au lieu de l'ignorer simplement, il faut qu'ils l'ébrèchent, qu'ils l'abîment, qu'ils y inscrivent leur marque pour prendre position contre elle et se désolidariser d'elle. Ils ne peuvent le faire à la faveur de la nuit, il leur faut claironner à la face du monde qu'ils n'aiment ni cette fontaine ni ce qu'elle incarne. Ils ne pensent pas «Je n'aime pas cette fontaine, n'en parlons plus. Un autre la trouve à son goût». Leur réputation exige davantage. Ils ne peuvent se distinguer de la fontaine qu'en la profanant publiquement. Voilà pourquoi je vous suis plus que reconnaissant de votre amabilité envers moi. Comment puis-je vraiment vous remercier?

– Ce n'est pas nécessaire. Tu l'as fait.

– Vous m'avez accepté ici si naturellement que vous ne vous rendez sans doute pas compte du sort qui m'attend. J'ai l'impression que vous m'avez accueilli sans vous demander qui je suis vraiment, ce que je suis.

Eh bien, je savais qu'il n'était pas un criminel et le jour de son arrivée, il m'avait dit qu'il était étudiant. D'ailleurs, il avait l'air d'un étudiant: je veux dire par là que, rien qu'à le voir, personne ne l'aurait pris pour un paysan. Je me demandais pourquoi il avait eu des ennuis à l'université mais le courage de lui poser la question me manquait. Si je l'interroge sur un point précis, me disais-je, il pourrait craindre que sa réponse ne me décide à le laisser rester ou pas. Alors que je n'avais nullement l'intention de lui demander de partir ni ne voulais l'interroger dans la seule intention de satisfaire ma curiosité. Il estimait sûrement m'en avoir assez dit pour que je comprenne, mais je ne comprenais pas. Je me demandais surtout combien de temps il entendait rester dans le poulailler. Et je préférais ne pas le lui demander, de peur qu'il n'y voie une façon de lui demander de partir et aussi, je crois, de peur qu'il ne parte. Si bien que je ne dis rien.

Plus tard ce soir-là, allongée dans mon lit, j'eus du mal à m'endormir car mes pensées rôdaient autour de lui qui couchait dans la chambre voisine, dans le lit de mon fils. Je résistai au désir d'aller jeter un coup d'œil furtif dans la chambre pour voir de quoi il avait l'air quand il dormait car le plancher grinçait, ce qui aurait pu le réveiller. Mais sa présence imprégnait la maison.

Le lendemain, dimanche, était une journée chargée sans les enfants pour m'aider. En plus des travaux habituels, il me fallait remplir celles de leurs tâches qui ne pouvaient être remises. Éveillé sans doute par le bruit que le moindre mouvement provoque dans la maison, il descendit peu après moi prendre son café et demanda s'il pouvait m'être utile. Je lui fis désherber un coin de potager pendant que je ramassais les œufs, m'occupais des poulets et nettoyais l'étable. J'étais en train de terminer ce travail quand je l'entendis venir. Il entrouvrit la porte de l'étable et s'avança vers moi. Il prit ma main, me conduisit vers l'endroit où l'on empile la paille fraîche et me fit asseoir. Là, dans la pénombre, il garda ma main. Il passa le bras autour de mes épaules, sans cesser de tenir ma main

37

dans la sienne. Je pensais qu'il voulait me dire quelque chose, me dire adieu, peut-être, et j'attendis sans chercher à me soustraire à son contact. Nous sommes restés ainsi dix minutes peut-être. Puis son bras passé autour de moi m'incita doucement à me pencher un peu vers lui et je le laissai faire. Lui-même s'inclina vers moi et baissa la tête de sorte qu'elle touchait le sommet de la mienne. Puis il se mit à me frotter le bras, juste sous l'épaule, très légèrement, très lentement. Je ne m'écartai pas. J'attendais. Son bras glissa et sa main se trouva sur la douce face interne de mon bras qu'il frotta très lentement. Un moment encore et ses doigts caressaient le côté de ma poitrine, à la naissance de mon sein. Je n'avais pas envie de bouger. Je ne désirais pas qu'il pense que je voulais qu'il cesse. J'attendais, totalement immobile, me demandant jusqu'où irait la sensation. J'étais envoûtée, tellement terrifiée à l'idée qu'elle pourrait disparaître si je bougeais tant soit peu que je demeurai figée. Mais il s'arrêta, se leva, traversa la cour jusqu'au poulailler, ouvrit la porte et y entra.

J'étais quasiment assommée par les sensations qu'il avait provoquées. Je n'y étais pas préparée et, quand j'y repense, comme je l'ai fait très souvent les jours qui suivirent, je sais parfaitement que j'étais déçue que cela ait tourné court. Je ne m'attendais pas à ses caresses mais elles avaient été les bienvenues. Je restai un moment sur la paille dans l'étable caverneuse puis je repris mon balayage. Une heure plus tard, les enfants rentrèrent et nous soupâmes. La routine retomba sur la ferme, comme avant.

2

Pendant les premières semaines qui suivirent l'arrivée de l'étranger, je vaquai à mes tâches quotidiennes. J'étais à tout instant très consciente de sa présence, mais je n'avais pas de difficulté à me comporter comme d'habitude car je ne connaissais pas d'autre façon d'être. Mes occupations furent à peine modifiées et l'étranger et ses besoins s'intégrèrent très vite à la vie de l'exploitation. L'essentiel était de lui procurer de quoi manger et de vider son seau. Je ne me tourmentais pas à l'idée qu'il puisse être découvert et me sentais plutôt tranquille, car, si quelqu'un le trouvait là, ce ne serait pas ma faute et je n'aurais pas à en souffrir. Bien sûr, je n'aurais rien fait pour le trahir. Il était mon secret et je voulais que nul ne l'apprenne, par égoïsme presque plus que pour son bien. J'étais absolument résolue à le protéger. Sur ce point, ma détermination était entière et rien de ce qui survint plus tard ne l'ébranla. Je pense que mon attitude pendant cette période n'incita personne à s'interroger sur mon compte.

Dans une ferme, on s'habitue à la solitude. Rares sont les travaux qu'une personne seule ne peut mener à bien. Parfois, mon mari réclame de l'aide pour les semailles ou les moissons, mais ce ne sont pas là des activités collectives qui permettent de bavarder ou de plaisanter. Aussi bizarre que cela puisse paraître, même la tâche fastidieuse qui consiste à répartir des graines dans les sillons nécessite de la concentration. Pas question de lever les yeux pour admirer le ciel ou de se laisser distraire par une fauvette. Pour être sûr que l'espacement soit bon et que la germination ait lieu, il faut garder les yeux rivés sur le sillon et sur les graines; d'ailleurs, par la suite, quand les plants poussent, on décèle très bien les endroits où l'attention du semeur a faibli car le blé y est trop touffu. De toute façon, si j'avais semé la même parcelle que mon mari, il aurait été vain qu'il s'active dans le sillon voisin pour qu'on puisse bavarder. Nous n'avions jamais eu grand-chose à nous dire.

Les gens d'ici prennent la vie au sérieux. Depuis des générations, ils ont eu peu de raisons de rire. Mis à part la première année dont j'ai déjà parlé, mon mari et moi n'avons jamais trouvé beaucoup d'occasions de folâtrer. Quand ses désirs étaient pressants, il observait toujours le même rituel, comme s'il suivait des instructions écrites. D'abord, il posait sa main sur mon sein gauche et le massait un peu. Puis il se mettait sur le côté et m'ôtait ma chemise de nuit. Ensuite, il jetait sa jambe en travers de mon corps, se hissait sur moi; en un rien de temps, tout était fini. Alors il s'endormait. Difficile pour moi de savoir s'il y avait pris du plaisir, même si ce plaisir n'était pas du genre que j'appellerais amoureux mais seulement physique. Ce n'était pas dans nos manières de prendre plaisir aux choses. On pouvait dire que c'était un plaisir d'en avoir fini avec les corvées de la journée. Tout en sachant que le lendemain, au saut du lit, tout serait à recommencer. Telle est la vie paysanne. Je doute qu'il existe un agriculteur auquel sa besogne harassante laisse un brin de temps de loisir. Je me demandais parfois dans quel but on avait construit la véranda, mis à part l'avantage qu'elle projetait un peu d'ombre dans la pièce de devant. Nous n'avions jamais une minute pour nous y asseoir, profiter de la fraîcheur ou regarder ce qui passait sur la route. Quand les enfants étaient petits, ils s'amusaient sur les marches où ils jouaient comme sur une table. Et moi, l'idée me venait parfois d'emporter les haricots et de les écosser sous la véranda. Mais, le moment venu, pressée d'en finir au plus vite avec mes légumes, je restais à la cuisine. Ensuite, je me disais : «Dommage ! J'ai oublié que je voulais écosser les haricots sous la véranda. La prochaine fois… »

De très rares visiteurs venaient à la ferme. De loin en loin, pour une livraison, mais ils se contentaient souvent de déposer les sacs de nourriture ou d'engrais devant l'étable et repartaient avant même que nous les ayons aperçus. Le plus souvent, je levais les yeux de ma lessive et voyais le camion qui démarrait, sans m'être rendu compte qu'il avait stationné là. On ne peut vraiment qualifier les livreurs de visiteurs. D'ailleurs, tout visiteur éventuel aurait su, comme les gens de ma famille, qu'il m'arracherait à quelque besogne indispensable et urgente. Nous n'avions pas l'habitude de nous rendre visite, mais si quelqu'un s'était arrêté à la ferme à l'improviste un jour ordinaire, il nous aurait trouvés au travail, jamais au repos. Quand on y réfléchit, prendre soin du bétail et des

41

champs procure une certaine satisfaction car ils dépendent de ce qu'on fait pour eux, jour après jour. Les pauvres bêtes ont besoin de nous, autant que des bébés. De là le sentiment que notre travail est important; après tout, qui d'autre le ferait? La satisfaction diffère du plaisir. Ainsi, quand je souris après avoir repiqué mon centième plant de haricot, une partie du sourire exprime ma gratitude qu'il n'y en ait pas cent un, l'autre partie étant les félicitations qu'on s'adresse à soi-même quand on a terminé un travail.

Ainsi, alors que je pensais sans cesse à l'étranger, je ne craignais pas qu'un visiteur pût le savoir en me voyant. Mes pensées ne se lisent pas sur mon visage ou dans mon comportement. Si quelqu'un me voyait traverser la cour en fredonnant pour me rendre au poulailler, il y avait très peu de chances qu'il s'aperçoive que je transportais de la nourriture en plus du grain pour la volaille. L'homme et moi n'échangions pas un mot. Je l'avais simplement inclus au nombre de mes occupations.

Quand mon mari partit pour l'armée, je ressentis un certain calme intérieur. Il m'indiqua en gros comment m'y prendre pour nous faire vivre. Il avait bien vu que les demandes en œufs et en poulets augmenteraient davantage que celles en lait, en porcs ou en légumes. Je n'ai contesté aucune de ses recommandations et je les ai appliquées sans hésiter. Je me suis mise à l'œuvre avec enthousiasme pour réaliser le plan afin qu'il soit une réussite. Mon échec aurait entraîné un changement de notre mode de vie. Depuis notre mariage, pendant toutes nos années d'exploitation commune, j'avais passé mes jours dans l'isolement et la solitude de la ferme : le carré de légumes derrière la maison, l'étable et le poulailler. C'était mon univers. Si vous vous postiez sur la route de la pointe du jour au coucher du soleil, vous en saviez autant que mon mari sur mes activités. Tel jour c'était la lessive, tel autre la cueillette des haricots et les conserves. Au fil des années, les enfants me laissaient plus de temps pour m'occuper des bêtes mais les besognes étaient les mêmes et je les retrouvais tous les matins, sitôt levée. Quand mon mari s'en alla sous les drapeaux, les enfants avaient moins besoin de moi mais l'exploitation davantage. Je commençai alors à me rendre au village tous les deux jours : lundi, mercredi, vendredi, plus le samedi qui était jour de marché, ce qui signifiait que je portais des œufs, un ou deux poulets si j'en avais, des légumes, et que je restais sur la place avec les autres fermiers dans l'espoir de tout vendre et de rapporter à la maison quelques victuailles que j'aurais troquées et quelques pfennigs. Mon mari avait évoqué le marché comme une possibilité, ne sachant pas si cela en vaudrait la peine et le temps. Certaines de mes clientes m'avaient demandé pourquoi on ne me voyait jamais au marché et je sentis que je ne pouvais négliger l'occasion. J'essayai donc et découvris que plus je comprenais comment ça fonctionnait, mieux je réussissais. Pendant mes tournées des jours de semaine où je ne vendais que des œufs, je demandai aux ménagères si elles avaient d'autres besoins que je pourrais satisfaire. Parfois elles désiraient un poulet ou des pommes de terre et me disaient : «Apportez-les au marché. J'y jetterai un coup d'œil». Ce que je fis. Plus la queue de clients s'allongeait, mieux ça marchait. Depuis peu, le marché reflétait la dureté des temps qui éprouvait tout le pays. Chaque semaine, le nombre de produits disponibles diminuait tandis qu'augmentait celui des clients qui erraient parmi un nombre réduit d'étals. Je n'ai jamais mis au point une manière de vendre. Je laissais entendre aux ménagères que mes produits étaient bons et m'efforçais de les vendre un ou deux pfennigs moins cher que les autres marchands forains. Si bien que, dès le départ de Hans, je me rendis au village quatre fois par semaine. J'étais presque toujours de retour à la ferme au début de l'après-midi. Il me fallait près d'une heure pour l'aller, mais le retour, les mains libres, prenait moitié moins de temps.

Ces équipées au village m'ouvrirent de nouvelles perspectives. Au bout de quelques semaines, les forains cessèrent de me regarder comme une étrangère et je me sentis plus à l'aise au milieu d'eux. Je ne leur parlais guère mais mon visage leur devint familier et ils s'attendirent bientôt à me voir débarquer chaque samedi, avec mes poulets et mes produits. La plupart des marchands étaient des femmes et de vieux paysans, du fait des appels sous les drapeaux et parce que c'étaient eux qui pouvaient être dispensés des travaux le samedi. Au fil des années, ils s'étaient liés d'amitié et se faisaient une fête de leur réunion hebdomadaire. L'ambiance très vivante du marché était ponctuée d'appels et de cris, de discussions enjouées qui se poursuivaient d'une semaine sur l'autre, de rires, d'histoires interminables, un joyeux brouhaha, interrompu par les clients importuns qui s'informaient des prix, demandaient qu'on emballe leurs navets ou qu'on leur fasse la monnaie. Du point de vue des vendeurs, les clients étaient aussi des trouble-fête et les forains à la langue bien pendue faisaient l'article aux ménagères sans vraiment interrompre le flot de leur bavardage.

C'était comme si j'avais débarqué dans un nouveau monde où les gens parlaient de choses dont j'ignorais tout. Il me fallut un bout de temps pour me rendre compte que les hurlements et vociférations étaient pour l'essentiel badinage et bonne humeur. Les vendeurs se gaussaient l'un l'autre de la qualité de leurs produits, dénigraient une tête de chou, ricanaient devant une pièce de tissu. Au bout de quelques semaines, devenue moi aussi la cible de leurs railleries, je les entendis brocarder la taille de mes œufs. C'était là mon initiation, et mon admission parmi eux dépendait de mes réactions à cette épreuve publique. Je ne me suis jamais sentie assez détendue au milieu des marchands forains pour être tentée de participer mais je n'étais pas froissée et, pour finir, je m'habituai à leurs cris cadencés, fond sonore des séances matinales sur la place. Ils attiraient l'attention du client sur les étals et les marchandises disponibles.

– Tiens, v'là la coquetière et son coquelet tout efflanqué… Pas étonnant qu'elle veuille plus voir c'te créature squelettique bouffer sa nourriture !

– R'gardez voir les poivrons pitoyables que M'dame Truc nous ramène c'matin. Y a qu'un gars qu'a pas bouffé d'puis une semaine pour les trouver dodus.

Et ainsi de suite.

Sous le couvert des vociférations couraient des conversations personnelles et de plus sérieuses. Des femmes circulaient, propageant les dernières informations : visites programmées du contrôleur de l'Office du ravitaillement, restrictions renforcées, imposition probable de nouveaux quotas. Les cultivateurs d'un même produit se réunissaient souvent entre eux pour se mettre d'accord sur la façon possible de contourner tel règlement ou telle réquisition. C'est ainsi que j'appris comment dissimuler les infractions aux restrictions concernant le lait. En l'occurrence, il était interdit aux fermiers de garder du lait pour leur usage personnel. Comme les matières grasses avaient presque entièrement disparu du marché, fabriquer du beurre était une production secondaire très profitable. Pour continuer cette pratique, les fermiers prélevaient sur leur lait de quoi faire du beurre, puis allongeaient le restant pour atteindre leurs quotas habituels. Faire du beurre pour son usage personnel était interdit mais tous les exploitants de ma connaissance en faisaient quand même.

Je me tenais à l'écart de la plupart des autres et me faisais aussi discrète que possible, sans attirer l'attention sur le fait que je n'étais pas vraiment impliquée. Au marché, beaucoup de femmes semblaient s'être assigné des devoirs de leur propre autorité ; elles circulaient entre les étals en inspectant les produits et vendaient des publications du gouvernement.

Je n'avais pas l'habitude de bavarder avec les ménagères qui achetaient mes œufs. Il arrivait que l'une d'elles parle du temps mais la plupart se contentaient de me demander mon prix, s'enquéraient de la fraîcheur de mes œufs et nous en restions là. En revanche, je m'aventurai à échanger quelques mots avec d'autres vendeurs. En général, seules les femmes m'abordaient et le plus souvent pour se plaindre, surtout du temps ou de l'Office de l'agriculture, les deux facteurs dont dépendaient les paysans pour assurer leur gagne-pain, les deux sujets auxquels ils s'intéressaient le plus à l'époque.

Au bout de quelques semaines, j'étais habituée au fait d'avoir un homme caché dans le poulailler. Depuis l'épisode dans l'étable, il ne m'avait jamais touchée et nulle occasion ne s'était présentée qui lui aurait permis de passer un moment à la maison. Lui et moi ne nous parlions pas et j'étais cependant contente qu'il soit là. Je ne pourrais pas préciser pourquoi mais cela me plaisait d'avoir un secret bien à moi, comme si, grâce à cette affaire privée, j'étais en contact avec ce qui se passait ailleurs. C'était accueillir et faire mien un monde dont je ne savais rien, un monde extraordinaire, passionnant et mystérieux auquel je pourrais participer aussi longtemps que cet homme serait à l'abri, comptant sur ma complicité, ignoré de tous, là dans notre poulailler au milieu des pondeuses.

Je ne lui adressai aucun signe et ma façon d'être demeurait immuable. Je m'en tenais à ma routine et à l'attitude réservée qui m'est habituelle envers mon entourage. Comme je n'avais pas besoin d'aborder la question de son départ et qu'il semblait se satisfaire de la situation, nous n'en parlions pas.

Un jour, alors que je travaillais à l'extrémité du champ, ma fille arriva au galop pour me dire que la Gestapo demandait à me voir. Un officier était arrivé à motocyclette et voulait me parler. Un frisson de peur me parcourut mais je repris mon contrôle et dis à ma fille de retourner à la maison, de sortir du schnaps pour l'officier et de lui annoncer que j'arrivais tout de suite. Le temps de couper à travers champs, je m'étais tout à fait reprise.

– Bonjour, monsieur, dis-je. Ma fille vous apporte quelque chose à boire. Quelle bonne idée de passer chez nous.

– Merci, ma brave dame, c'est très aimable à vous…

À cet instant, Olga sortit de la maison.

– … vraiment trop aimable. La bouteille n'est même pas entamée ! Franchement, je ne peux accepter…

– Bien sûr que vous pouvez ! Je vous en prie, ouvrez-la et profitez-en. Mon mari l'a laissée pour vous et il serait très contrarié d'apprendre que vous êtes venu nous voir sans que je vous aie rien offert. Je vous en prie, servez-vous.

L'officier nous interrogea ma fille et moi sur la ferme, le nombre de cochons que nous avions, etc.

– Je me demande si vous aimeriez manger de temps en temps des œufs tout frais, lui dis-je. Nos pondeuses sont les meilleures de la région. Une de nos poules qui a quatre ans continue de nous fournir de temps à autre un œuf gros comme le poing. Si j'ai la chance d'en dénicher un, permettez-moi de vous l'offrir.

Je m'étonnais moi-même de l'aisance avec laquelle je bavardais avec cet officier. Il me suivit dans la basse-cour mais, quand nous arrivâmes à la barrière de l'enclos, je l'arrêtai :

– S'il vous plaît, monsieur… On voit que vous n'avez pas de volaille chez vous. Il n'y a que moi qui puisse entrer dans le poulailler. Les poules sont très nerveuses, elles ne vous connaissent pas et pourraient cesser de pondre. Et mon revenu disparaîtrait. Accordez-moi quelques minutes que j'aille voir si je vous trouve un ou deux gros œufs.

Là-dessus, je tournai les talons et me dirigeai d'un pas décidé vers le poulailler en rabattant derrière moi la barrière de l'enclos. Nullement vexé, l'officier de la Gestapo demeura sur place en compagnie de ma fille, buvant son schnaps pendant que je fouillais les nids dont je sortis une demi-douzaine d'œufs pour l'officier.

– J'en ai trouvé un joli lot pour vous, monsieur, lui annonçai-je en revenant. Je vais vous les emballer pour que vous n'ayez pas de malheur en route.

Portant les œufs dans mon tablier relevé, je les ramenai, lui et ma fille, vers la maison. J'enveloppai les œufs dans des chiffons propres et les offris à l'officier.

– C'est très aimable à vous, madame. J'ai remarqué qu'il n'est pas facile de trouver des œufs frais sur les marchés. Les vôtres seront très bienvenus pour améliorer nos repas.

– C'est de bon cœur! J'espère que vous reviendrez quand vous en aurez de nouveau besoin. S'il avait été là, mon mari aurait été heureux de faire votre connaissance. Pour le moment, il sert dans l'armée.

– C'est ce que votre fille m'a dit... Ah, j'allais oublier ma mission officielle. Nous sommes à la recherche d'un prisonnier évadé qui serait dans la région. Le Bureau de la Gestapo de la province voisine nous a demandé de poursuivre les recherches parce qu'ils n'ont pas réussi à mettre la main sur ce chien. Il s'est enfui du camp de Mauernich il y a près d'un mois et il se peut qu'il soit encore dans le coin.

– Est-il dangereux?

– Nous ignorons s'il est armé mais le commandement de la Gestapo exige qu'on le rattrape. Ils pensent qu'il pourrait s'agir d'un antigouvernemental. Il est possible qu'il se cache dans les bois par ici. Si vous le trouvez, faites-le nous savoir.

Ma fille et moi répondîmes à l'unisson :

– Sûrement, monsieur.

– Une prime généreuse attend celui qui trouvera cet évadé. Nous aimons récompenser les citoyens patriotes et loyaux lorsqu'ils nous aident à détecter et punir les inadaptés et les scélérats embusqués parmi nous. J'espère, braves gens, j'espère que vous gagnerez la prime.

L'officier prit les œufs sous son bras. Ses hautes bottes crottées par les détritus de la basse-cour franchirent à grandes enjambées la cour de devant. Il enfourcha sa motocyclette et s'éloigna sur la route.

Cette visite avait surexcité Olga. Son groupe de la Jugend se réjouirait d'apprendre notre collaboration avec la Gestapo, m'annonça-t-elle, et que nous soyons dans la zone de recherche du fugitif. Pas plus tard que ce soir, elle prendrait sur son temps réservé au travail scolaire pour aller battre les herbages du tertre derrière chez nous, au cas où l'évadé s'y serait caché. J'étais d'accord pour qu'elle explore le tertre mais je fis observer que le dimanche serait un moment plus propice à cette entreprise. Elle accepta ma suggestion; l'idée que notre ferme participerait à la chasse à l'homme décupla son enthousiasme.

Le lendemain, quand elle et son frère furent partis pour l'école, j'allai au poulailler voir si l'homme y était toujours et le mettre au courant de la tournure que prenaient les événements. La veille, quand j'étais venue chercher des œufs pour l'officier, j'avais délibérément évité de regarder vers son coin habituel, pour faire au plus vite. J'avais été tentée de retourner au poulailler pour m'en excuser, en quelque sorte, mais, de peur de susciter des questions de Karl ou d'Olga s'ils s'apercevaient que j'y allais sans raison, j'avais renoncé à mon projet et résolu d'attendre le lendemain. Quand j'entrai dans le poulailler, il n'était pas dans son coin sous le juchoir. Je fus prise de panique. Ma première pensée fut qu'il était parti, qu'il s'était fait prendre par la Gestapo et ramener au camp. Et que c'était ma faute parce que je n'étais pas allée le prévenir. Pis encore, je savais maintenant avec une clarté évidente que je ne voulais pas qu'il parte. Il n'était pas sous le perchoir et nulle part ailleurs. Le poulailler est trop exigu pour qu'on imagine une seconde que quelqu'un s'y trouve sans qu'on puisse le voir : il fait quatre pas sur quatre à peu près, les nids sont d'un côté, le juchoir de l'autre, la nourriture et l'eau près du troisième mur et celui du fond est vide. Désemparée, je me dis pourtant que s'il n'avait pas fui, il pourrait être dans l'étable ou dans le potager, voire dans les herbages dont avait parlé Olga. Avant que j'aie eu le temps de partir à sa recherche, il était devant moi, m'attirait vers lui et me serrait dans ses bras en signe de victoire et de triomphe.

– On a gagné la première épreuve ! On a réussi ! Vous avez été merveilleuse ! Je ne savais pas que vous aviez du schnaps de côté. Vous avez été splendide avec ce crétin. « Vous pourriez effrayer les poules et plus jamais elles ne pondraient... »

Contrefaisant ma voix, il parodiait la ruse dont j'avais usé avec l'officier.

– Quel trait de génie ! Quel sens de l'improvisation !

– Où étais-tu ? l'interrompis-je.

Ce fut tout ce que je trouvai à dire à l'homme qui m'étreignait toujours.

– Venez, je vais vous montrer, fit-il en me reposant sur le sol.

Il me conduisit vers son coin attitré, là où il fallait se plier en deux pour s'accroupir sous le perchoir. Il souleva deux planches, découvrant un espace relativement vaste qu'il avait creusé dessous, puis me fit la démonstration de sa façon de s'y introduire et replaça les planches. Quand il se trouva lové dans le trou et les planches remises en place, rien ne permettait de soupçonner la présence d'un homme, d'autant que les poulets revinrent y sautiller paisiblement tant ils étaient désormais habitués à sa présence.

Je l'avais regardé sans dissimuler mon admiration tandis qu'il me montrait son refuge sous le plancher, synonyme de permanence. Qui l'abriterait aussi sûrement qu'une tombe, là, dans mon poulailler.

– Tu étais là-dessous hier quand je suis venue chercher les œufs ? demandai-je.

– Oui, madame. J'avais entendu la motocyclette arriver et j'ai résolu d'étrenner ma cachette, que j'appelle mon tombeau. J'ai soulevé les planches, comme je vous l'ai montré, et je me suis coulé dedans. Quand vous êtes entrée chercher les œufs, j'y étais depuis un bon moment. Mais j'ai entendu tout ce que vous avez dit et vous étiez magnifique.

Et de nouveau, dans son bonheur délirant d'avoir échappé au pire, il m'empoigna fougueusement.

Cet épisode, crûment révélateur des périls auxquels nous étions exposés, lui et moi, nous rapprocha. Je ne me contentais pas de le laisser vivre dans le poulailler, je l'avais protégé, je l'avais activement défendu. Il avait entendu tout ce que j'avais dit, il savait que je l'avais sauvé. De son côté, il m'avait révélé sa cachette secrète, s'engageant ainsi plus avant dans sa dépendance à mon égard. Je n'avais toujours qu'une vague idée de ce qui se passait. Je savais qu'il s'était évadé et qu'il était recherché pour ça. Mais de quel genre de camp s'était-il échappé ? Pourquoi l'y avait-on mis ? J'avais l'impression que ma fille devait en savoir plus que moi sur ce sujet. Je savais quels étaient mes mobiles et j'étais lucide quant à mes sentiments : cet homme me faisait ressentir des émotions que j'avais craint ne jamais connaître.

C'était comme s'il oubliait que me toucher pourrait avoir des conséquences, pour moi ou pour lui... Quand il m'étreignit avec tant de vigueur, je ressentis sa proximité et il se peut qu'il ait éprouvé une sensation similaire car il me regarda, me reposa lentement sur mes pieds et me lâcha. Je fis deux pas en arrière et dis :

– Je ne crois pas qu'il reviendra de sitôt chez nous.

– Vous savez pourquoi il me recherche ?

– Tu me l'as dit toi-même. Tu t'es évadé du camp de Mauernich.

– Vous savez pourquoi j'étais dans ce camp ?

– Parce que tu avais refusé de quitter l'université.

– Et pourquoi m'a-t-on ordonné de quitter l'université ?

– Parce que tes papiers n'étaient pas en règle.

– Exact. Mais de quels papiers s'agit-il?

– Je ne sais pas.

– Enfin, nous y voilà! Je vais vous le dire. Je vous le dois parce que vous m'avez sauvé la vie, et maintenant vous pourriez changer d'avis à propos du marché que nous avons conclu ici de façon si charmante. Je crois que vous ignorez la vraie raison que j'avais de quitter l'université. Les papiers dont j'avais besoin étaient des extraits de naissance et je ne pouvais répondre aux exigences des autorités.

– Tu n'avais pas ton extrait de naissance?

– Je l'avais. J'avais aussi ceux de mes parents et de mes grands-parents. J'avais à soumettre sept extraits de naissance et tous devaient indiquer que chacun de nous était aryen. Et ça, je ne le pouvais pas.

– Tu n'es pas aryen?

– Non, je suis juif.

– Ah bon.

– C'est tout?

– Que devrais-je dire?

– Savez-vous que les Juifs ne sont pas des citoyens? Savez-vous que les Juifs ne peuvent pas étudier à l'université? Qu'ils ne sont pas dignes de recevoir un enseignement? Que les études sont réservées aux seuls aryens?

– Non, je l'ignorais.

– Maintenant, vous savez. Voulez-vous que je parte? Comprenez-vous à présent le danger que représente pour vous, pour votre fille et votre fils le fait que je me cache dans le poulailler?

– Non.

– S'ils me trouvent ici, ils m'exécuteront sur-le-champ. Je n'ai aucun droit, aucun. Vous et vos enfants serez arrêtés, mis dans un camp pour opposants ; votre ferme sera attribuée à des citoyens plus loyaux et ce sera la fin de tout.

Parler m'était impossible. Ses propos vrombissaient dans ma tête. Je n'avais aucune idée des réalités qu'il évoquait. Je le fixais, je regardais la détresse dont son visage était empreint. Que pouvait-on faire ? La situation dépassait tout ce que j'avais imaginé. J'avais pensé avoir à faire à un fugitif et, d'instinct, je ne l'avais pas dénoncé. Plus tard, j'allais apprendre avec quelle plénitude j'avais reçu, au moment où je le découvris, le pouvoir de protéger cet étranger. Pas une fois je ne me suis demandé s'il valait la peine d'être protégé. Jamais il ne m'apparut comme un danger potentiel pour moi ou pour mes enfants. C'était uniquement sa présence, remise en mon pouvoir, qu'il fallait sans nul doute défendre. Je ne me suis pas dit : « C'est un criminel, un malfaiteur poursuivi par les autorités, nous n'en voulons pas ici. » Je me suis dit : « C'est un homme qui a besoin d'être protégé, nous le protégerons, je le protégerai. » Rien de plus.

Et cette histoire de Juifs ? Bon, d'accord, il était juif, mais qu'est-ce que ça changeait ? C'était le premier Juif dont je faisais la connaissance et je ne m'en étais même pas aperçue avant qu'il me le dise. Comment l'aurais-je su ? Il avait l'air simplement d'un homme désespéré, aux abois. Je n'avais aucun moyen de comprendre la portée de ce renseignement. Personne ne m'avait dit de réfléchir à propos des Juifs. Je savais qu'il y avait des Juifs dans les grandes villes mais ce qu'ils y faisaient, la raison pour laquelle ils étaient indésirables, je n'en savais rien. Je savais qu'ils n'étaient pas particulièrement appréciés, mais pourquoi, je n'en avais aucune idée. Pour moi, c'était un problème des villes, comme le téléphone. Si j'avais vécu en ville, j'aurais pu en apprendre davantage mais nos conversations tournaient autour de nos propres difficultés. Même au village, à cette époque où j'y allais souvent, nous parlions des moyens de survivre, nous cherchions ensemble comment échapper aux réglementations de l'Office de l'agriculture, nous parlions de ce qui nous attendait. Jamais il n'était question des Juifs.

Quand il m'apprit tout cela sur lui, je n'y étais vraiment pas préparée. Il n'avait jamais mis les pieds dans une ferme et n'avait aucune notion des travaux auxquels se livrent les agriculteurs; moi, je n'avais jamais eu de contacts avec des Juifs et j'ignorais leurs activités. Au moment de l'abandonner une fois de plus dans le poulailler, j'eus l'impression qu'il avait besoin de m'entendre confirmer mes intentions, mais j'avais besoin de réfléchir à ce qu'il m'avait révélé. J'étais troublée, non pas d'avoir appris qu'il était juif mais de ne pas savoir comment réagir au mieux à cette information. Maintenant qu'il m'avait prévenue et m'avait livré ce renseignement, je devais lui signifier d'une manière ou d'une autre que, pour moi, c'était sans importance et qu'il pouvait toujours profiter de l'abri. En fait, je ne doutais pas qu'il y resterait mais je savais n'avoir pas bien compris ce que sa qualité de Juif avait à faire dans tout ça.

Le samedi suivant, sur la place du village, les forains du marché ne parlaient que de la Gestapo qui recherchait partout le Juif évadé. C'est ainsi que tous le désignaient. «Est-ce que la Gestapo est venue chez vous? Elle recherche le Juif évadé.» Quand j'entendis cette question faire le tour des marchands, je me détendis complètement. Ils discouraient à perdre haleine du mystérieux évadé et moi, tranquillement assise parmi eux, je détenais la réponse. Une étrangère déguisée en vendeuse ordinaire.

Quand ils se mirent à discuter des visites de la Gestapo, je tendis l'oreille. Tous se demandaient anxieusement si un matin, au réveil, ils découvriraient le Juif évadé sur leurs terres. En fait, leur inquiétude prenait deux formes : l'horreur qu'un Juif puisse profaner leur ferme et la crainte des représailles possibles de la Gestapo si l'on trouvait le Juif chez eux, alors même qu'ils l'auraient aussitôt dénoncé. Une chose était sûre : étant donné la prime promise à qui fournirait des renseignements qui aideraient à repérer le fugitif, tous se précipiteraient pour déclarer tout suspect. En écoutant le feu roulant des rumeurs sur le Juif évadé, j'observais mes voisins dont, visiblement, aucun ne me soupçonnait d'en savoir plus qu'eux. Moi qui abritais ce Juif évadé, j'étais à leur côté et ils ne disposaient d'aucun moyen pour déceler mon secret.

Ce jour-là, de retour à la ferme, il me fut impossible de lui parler car les enfants étaient à la maison. Je n'établissais jamais de contact avec lui lorsqu'ils étaient là, même si je les savais occupés par l'exploitation, leur travail de classe ou leurs activités pour la Jugend. Il me fallait parfois aller au poulailler pour ramasser les œufs ou nourrir la volaille mais j'évitais de regarder son coin attitré pour m'assurer de sa présence. Je ne vérifiais jamais non plus sa cachette. Je faisais de mon mieux pour oublier qu'il pourrait être là. Je fredonnais ma rengaine pour les poulets, sachant qu'il l'entendrait. Parfois, quand je m'occupais de la volaille, je le voyais, mais c'était rare. Si cela se produisait, mon regard l'effleurait et se retirait sans un battement de paupière. Lui non plus ne cherchait pas à me retenir. Il savait parfaitement bien quand nous étions seuls. Les réunions des H.J. avaient lieu le dimanche et, quel que soit le temps, Karl et Olga filaient de bonne heure et rentraient pour le dîner. Ce jour, donc, je me rendis au poulailler dans l'intention de lui parler. Quand je franchis le seuil, il s'avança vers moi.

– Avez-vous réfléchi à ce que je vous ai dit ?

– Je n'ai pratiquement pensé qu'à ça !

– Je vous ai déjà fait courir assez de risques. Je vais me préparer pour partir cette semaine.

– D'après ce qu'on raconte sur toi au marché, tu n'iras pas loin sans être signalé ! Tout le monde s'interroge sur le montant de la prime. On ne parle que de ça ! Où as-tu l'intention d'aller ?

– Je ne sais pas. Vous avez été si bonne de me garder ici… Il est peut-être temps que je m'en aille faire éprouver à quelqu'un d'autre le frisson du danger.

Ma jalousie flamba à l'idée qu'il pourrait passer sous la garde d'un autre. Je refusais d'y renoncer. Sous la jalousie couvaient des sentiments plus confus, plus pressants, qui tenaient pour essentiel que ce prisonnier fugitif demeure dans mon poulailler.

– Je t'aurais bien proposé de passer quelques heures à la maison, histoire de changer de décor, mais ça ne serait pas prudent. Sais-tu seulement où tu te trouves? Avais-tu un plan quand tu es venu ici?

– Sûr! Je voulais sauver ma peau! Cela faisait une semaine que je m'étais échappé du camp. Je ne me déplaçais que la nuit, je n'avais pratiquement rien à manger, je buvais aux ruisseaux. J'ignore où se situe votre ferme mais j'ai toujours marché vers l'ouest. Quand vous m'avez trouvé, je n'avais parlé à personne depuis huit jours. Sauf à moi-même. Et depuis, vous avez été mon salut. Toutes les nuits, je me demande combien de temps je vais rester ici, je pense au danger que je constitue pour vous et votre famille, je me demande combien de temps le hasard va m'aider. J'ai l'intention de me remettre en route et j'essaie d'imaginer le matin où vous entrerez ici, croyant me trouver, et où je serai parti.

Je sentais déjà le frisson qui me secouerait quand j'entrerais dans le poulailler, comme d'habitude, et découvrirais sa disparition.

– Puisque tu es resté jusqu'à maintenant, ce serait de la folie de te jeter dans le filet qu'ils ont tendu pour toi dans la région. Tu m'aurais fait risquer notre vie à tous pour abandonner la partie de toi-même… Laisse-nous au moins l'impression que nous avons veillé à ce que tu sois en sécurité dans un autre refuge. Bien sûr, je n'ai pas le droit de te retenir ici si tu préfères t'en aller. Étant donné la battue que la Gestapo organise contre toi, tu n'as pas à t'inquiéter de notre sécurité. C'est à toi de décider ce qui est préférable.

– Puis-je savoir votre nom?

– Eva.

– Et moi, je m'appelle Nathanael. Je veux que vous sachiez tout. Je ne peux rester plus longtemps à moins d'être sûr que vous savez qui vous dissimulez sous les lattes du poulailler. Eva, voici ce qui est arrivé : j'étais à Mauernich depuis un mois. Pendant ce mois, j'ai radicalement changé. Avant que cette folie commence, j'étais un étudiant discret et réservé. J'osais à peine parler, même aux étudiants de ma faculté, tant j'étais timide. Dès l'instant où ils me dirent que je ne pouvais pas poursuivre mes études à l'université, j'ai commencé à changer. J'avais un seul but : étudier et m'instruire pour devenir un jour professeur afin d'enseigner à d'autres; j'y avais consacré ma vie. Quand ils m'interdirent l'entrée des amphithéâtres, celle de la bibliothèque, quand ils m'empêchèrent d'acheter les livres dont j'avais besoin, je devins comme une bête. La politique ne m'a jamais intéressé. Je suis un mathématicien, pas un révolutionnaire, mais quand je suis revenu à l'université pour récupérer mes notes de cours et ma documentation, il y avait une manifestation devant l'entrée. Aujourd'hui encore, j'ignore quel était le parti ou l'association qui patronnait ce mouvement, mais je résolus d'observer un moment et d'écouter ce que racontaient les orateurs. Quand j'approchai des portes de l'université, la foule criait un slogan que je n'ai pu comprendre et d'autres hurlaient un slogan opposé; on aurait dit qu'ils chantaient un canon dans lequel deux slogans étaient simultanément présents dans l'air, si bien que l'on pouvait fixer son attention sur l'un ou sur l'autre. Alors que je m'approchai, un manifestant s'est trouvé entraîné dans une bagarre, contre un de ses camarades ou contre un membre du groupe adverse. Comme s'il s'était agi d'un signal, un peloton de policiers à cheval a surgi de nulle part; ils se sont mis à frapper tous les manifestants à portée de leur cravache. Quelques minutes plus tard, une autre troupe de policiers, venus ceux-là dans des fourgons, arriva sur les lieux et procéda aussitôt à des arrestations au hasard parmi les manifestants. Ceux qui le purent s'enfuirent; les autres, dont j'étais, furent arrêtés et passèrent la nuit en prison. Le lendemain matin, moi et quelques autres, les seuls Juifs du groupe, nous fûmes envoyés à la gare avec un garde et immédiatement expédiés sous escorte au camp de Mauernich. Le mois que j'ai passé dans ce camp m'a plus appris, je crois, que toutes mes années à l'université. J'ai enregistré de nombreuses leçons qui pourront un jour m'être utiles, mais la plus immédiatement utilisable était l'affûtage d'une cuiller. Après en avoir aiguisé une – à propos, Eva, vous pourriez vous aussi avoir besoin de connaître ce détail : c'est le manche de la cuiller qu'on affûte, pas la partie creuse –, il me fallut régresser jusqu'au stade où je pourrais réellement l'employer. Cela ne me prit pas longtemps. Le camp n'était pas bien surveillé. Il était facile d'en sortir par les portes mais, sitôt l'évadé avait-il franchi quelques mètres, l'assassin sur la tour de guet le descendait. Je le sais pour avoir assisté plusieurs fois à la scène. Il m'apparut donc qu'il me faudrait distraire l'attention du garde avant de franchir la porte. Ce que je fis. Une nuit, je pris ma cuiller-poignard, j'attendis que la lune se couche, traversai le camp, étonné de mon propre calme, et escaladai la tour de guet. Prenant le garde par surprise, je plongeai la cuiller dans sa gorge. J'étais dans un tel état de régression, si totalement possédé que, plus tard seulement, en revivant ces moments, je fus à même d'apprécier la perversité de mon acte. J'estimai alors ma perversité plus grave que celle du garde car j'étais parfaitement conscient d'accomplir le mal.

En faisant ce récit, Nathanaël – il avait aussitôt pris ce prénom dans mes pensées – semblait décrire une expérience maintes fois revécue. Je pense qu'il était contraint de la répéter mentalement comme si, faute de croire qu'elle était arrivée, il lui fallait l'évoquer de nouveau pour confirmer sa réalité. L'horreur de Nathanaël à l'égard de son acte était évidente. Il ne semblait pas curieux de connaître ma réaction, comme s'il était certain qu'elle était identique à la sienne. Pour moi, la question était plus élémentaire et n'engendrait pas une telle angoisse. Tuer le garde avait été nécessaire; il n'y avait pas là matière à ronger la conscience d'un homme.

– Nathanaël, je suis heureuse que tu aies été assez habile pour t'enfuir de ce camp. Es-tu en train de te châtier à cause de la mort du garde? Y avait-il une autre solution? Le garde, lui, t'aurait descendu avec une parfaite bonne conscience. Tu le sais bien… Tu te fais des reproches alors que tu devrais être fier.

– Nous ne voyons pas la chose de la même façon. Le garde, quand il m'a regardé, a vu l'équivalent d'un chien ; moi, quand je l'ai regardé, j'ai vu un égal.

Il m'apparut très vite que je n'avais aucun espoir de l'apaiser. Nathanaël m'avait fait ce récit pour payer la dette qu'il sentait avoir envers moi, car il ne voulait pas m'être redevable tout en me trompant sur sa personne, pour ainsi dire. Pour accepter ma protection, il avait besoin que je sache quel genre d'homme je protégeais. En fait, son récit ne m'avait pas choquée, mais sa sensibilité et l'intensité de ses sentiments étaient touchantes. Nathanael avait pu penser que je le jugerais indigne d'être protégé après avoir entendu son récit. Je ne l'abritais pas parce que je le jugeais supérieur aux autres mais simplement parce que l'occasion s'était présentée. Ce n'était pas le rabaisser mais m'expliquer à moi-même pourquoi je trouvais son histoire sans importance. L'opinion que j'avais de lui ne changea pas.

– Crois-tu que je t'estime moins à présent que j'en sais plus sur toi?

– Est-ce le cas?

– Pas du tout! J'admire ton courage et ta détermination. Tu as énormément changé en très peu de temps. Qu'aurais-tu pu faire d'autre dans cette situation? N'importe qui aurait voulu trouver en lui le même courage.

– Ça ne vous dérange pas d'abriter un tueur?

– Franchement, je ne te considère pas comme un tueur. Tu es très bon et très sensible. Si tu étais un tueur, tu m'aurais supprimée depuis longtemps. Mais tu m'as fait confiance. Je ne sais pourquoi mais ça me fait plaisir.

– Vous me demandez de décider si je vais partir ou rester. Je vous ai raconté mon histoire parce que je souhaite rester. Je crois qu'il me faut rester ici pour survivre. Si je pars maintenant, la Gestapo, qui est déjà sur les dents, aura vite fait de retrouver ma trace. Si je reste, je garde quelque chance. Si je reste, vous serez en danger, vous, vos enfants et votre mari.

Je compris comment s'enchaînaient ses idées : acculé au désespoir, il avait sollicité mon aide, me mettant de ce fait dans une situation périlleuse, et moi, sans une pensée pour les conséquences et heureuse de le faire, je l'aidais, mettant à leur insu tous les miens en danger. Je savais d'instinct que ni mes enfants ni mon mari ne m'auraient approuvée. J'en étais si certaine qu'il ne me vint jamais à l'esprit de mettre l'un d'eux au courant. Je protégeais Nathanael de mes enfants autant que de la Gestapo. La cruauté de la situation ne m'apparut que bien plus tard.

Sans bien comprendre mes mobiles personnels, je ne cherchais pas à mettre fin au séjour de l'étranger dans mon poulailler, ni à mêler quelqu'un d'autre à l'affaire. Dans mon esprit s'embrouillaient la volonté d'assurer le salut de Nathanael, mon objectif essentiel après tout, et celle de le garder, lui, comme un secret qui m'appartenait. Quant à moi, le risque que j'encourais personnellement était très secondaire et je l'acceptais. Je pense aujourd'hui que j'aurais pu, sans le vouloir, mettre Nathanael en péril pour le garder chez moi ; je ne pense pas que je l'aurais fait sciemment.

– Ce serait téméraire de t'aventurer dans les parages avec la Gestapo à tes trousses. Le bon sens veut que tu patientes encore dans ta cachette sous le plancher. Tu ne peux pas t'attendre à ce que je te regarde partir avec mes meilleurs vœux, sachant qu'on va te jeter en prison, ou pire. Franchement, tu ne peux pas me demander ça ! Laissons passer quelque temps. On verra bien comment la situation évoluera. Si elle redevient plus sûre, je l'entendrai dire au marché.

– Vous êtes si désintéressée, Eva! Je passerai le reste de ma vie à me demander comment vous remercier. Je suis d'accord, il est plus sage que je reste ici encore quelque temps, si ce n'est pas trop vous demander. Puis, dès que cette agitation sera calmée, vous me le direz et je reprendrai la route.

– Eh bien, voilà une affaire réglée.

Pour mettre fin à la conversation, je partis reprendre mon travail.

3

Un travail qui devenait harassant. Accaparés par leurs devoirs du soir et par les exigences croissantes de leur groupe de H.J., les enfants y contribuaient de moins en moins. Karl continuait à puiser l'eau le matin, Olga s'occupait en partie des bêtes et moi je cumulais mes tâches habituelles et les nouvelles. La randonnée au village, quatre fois par semaine, dévorait mon temps. Aujourd'hui, quand je me rappelle cette période, je ne peux réprimer un frisson en songeant aux conditions rudimentaires de notre vie quotidienne. Nés au début du siècle, nous vivions toujours sous l'influence du précédent. Chaque semaine je faisais le pain, chaque semaine en été je faisais des conserves pour l'hiver et chaque semaine en hiver je faisais la soupe, composée pour l'essentiel de restes et d'épluchures. Chaque semaine, un jour était consacré à la lessive et un autre au ménage; une fois tous les huit ou quinze jours, nous prenions un bain, et deux fois par mois je faisais les comptes. Avant que mon mari parte pour l'armée, la plupart de ces tâches me revenaient, mais, à part les soins aux enfants, je n'avais à m'occuper que des œufs et du potager. Depuis que j'étais seule adulte à la ferme, la charge était écrasante. Parfois, quand je me sentais débordée par tout ce qu'il y avait à faire, mon humeur devenait difficile.

Elle était à l'orage le jour où je demandai à mes enfants de prendre part plus activement aux travaux de l'exploitation. Je suggérai qu'ils pourraient s'y consacrer entièrement un jour par semaine. Ils étaient rarement du même avis mais, sur ce point précis, leur détermination commune s'exprima sans hésitation.

– Mais enfin, maman, j'ai la possibilité de devenir un chef au service de notre patrie et tu voudrais que je perde mon temps à soigner les cochons ou ramasser des haricots ! Papa risque sa vie pour nous protéger et toi, tu te plains des petits sacrifices qu'on te demande. On dirait que tu ne te rends pas compte que ton travail contribue à la plus grande gloire de notre patrie.

– Je sais que vous avez été très occupés ces derniers mois, mais je me demande où l'on a bien pu vous apprendre qu'il faut laisser tomber toutes vos responsabilités chez vous au profit de la Jugend. On ne vous dit pas à la patrouille qu'il faut aider votre famille ?

– Tu n'as rien compris, maman ! C'est justement dans le but d'aider ma famille et toutes les autres familles de la patrie que je dois développer mes aptitudes de chef !

Karl avait fait siens les objectifs de la Jugend et j'aurais été bien en peine de lui offrir un autre choix convaincant. Ma fille me fit une réponse identique :

– Enfin, maman, comment veux-tu que je finisse de coudre mon uniforme si je dois en plus faire ta besogne ? Tu sais ce que dira mon professeur si je me défile devant les activités de la Jugend ? Que pas une excuse ne tient quand il s'agit de la Jugend. Je t'assure, ils te jettent purement et simplement dehors si tu ne participes pas aux activités. Dans ce cas, si ça se produit, il y aura une enquête et je serais tout bonnement morte de honte.

Elle avait presque l'âge auquel je m'étais mariée. J'avais été une enfant docile et obéissante. Elle aussi était docile et obéissante, mais uniquement dans le cadre de son groupe. Dès le début, elle nous avait suppliés de lui permettre d'y entrer. Je me rappelle ses arguments : toutes ses amies en faisaient partie et le directeur de l'école lui-même les avait incitées à y participer, disant que c'était se comporter en citoyennes loyales. Il était impossible de nier son désir d'en faire partie ; elle nous avait déclaré d'ailleurs qu'elle s'y inscrirait, avec ou sans notre permission. Il était manifeste qu'elle le ferait, ce qui nous avait convaincus, son père et moi, que mieux valait donner la permission et l'argent pour les droits. Son ultime argument avait été : « Vous avez permis à Karl d'entrer dans la Jugend. Alors, moi aussi j'y ai droit. » Depuis, chaque jour après l'école, mes enfants consacraient deux heures aux activités de la Jugend, plus tous les samedis et parfois le dimanche.

Hans et moi nous étions mariés après la fin de la Grande Guerre. Il appartenait à une classe trop jeune pour avoir pu être mobilisé. Bien entendu, je savais que nous étions en guerre mais je ne savais rien de la guerre. À l'époque, j'allais à l'école, j'aidais à la ferme et j'avais peu de temps pour mes propres réflexions, trop peu pour me tracasser de conflits et d'événements lointains. Chez nous, la fin de la guerre n'apporta pas de soulagement, excepté aux proches des jeunes gens qui n'auraient plus à partir pour l'armée. Pendant mon adolescence, la guerre avait constamment occupé l'arrière-plan. Nous lisions peu de journaux. Une fois par mois, mettons, quand mon père allait au village, il rapportait une ou deux pages d'un journal, souvent vieux de quelques semaines, qui enveloppaient des lentilles ou des pois. Le plus souvent, nous étions trop occupés pour accorder beaucoup d'attention aux informations qu'elles contenaient.

Nous n'avions pas l'habitude de nous enquérir de ce qui se passait hors de chez nous. Nous étions toujours et sans discontinuer concentrés sur ce que nous faisions. On nous avait appris à nous occuper de nos affaires et à ne pas nous mêler de celles des voisins. C'était ce que nous faisions. Nous en savions aussi peu sur l'existence des propriétaires de la ferme voisine que sur la vie dans les grandes villes ou dans les pays étrangers. Quand le fugitif avait surgi dans le poulailler, ce fut comme si un Chinois y était apparu. J'ignorais absolument pourquoi il était venu, d'où il venait, quelles étaient ses habitudes. Pendant les premières semaines, je l'ai traité comme s'il était véritablement un Chinois. Je pensais que nous ne serions pas à même de vraiment communiquer, si bien que je ne lui parlais pas, sauf pour lui demander s'il avait besoin d'une autre couverture. J'avais l'impression qu'il ne parlait pas la même langue que moi, alors que manifestement il la parlait. Je sentais son étrangeté, sa différence; elle ne m'effrayait pas, au contraire, elle m'intriguait. Mais elle faisait que je le traitais comme un objet, comme un individu dont les sentiments m'étaient à jamais incompréhensibles, si bien que je les ignorais. Quand je dis qu'il aurait pu être un Chinois, c'est ma façon d'exprimer qu'il n'était pas un paysan. Lorsque nous voulions décrire un comportement qui nous était inimaginable, nous disions : «C'est comme ça qu'un Chinois s'y prendrait», ou «Il n'y a qu'un Chinois pour manger un truc comme ça», ou encore «Il n'y a que les Chinois pour gober des idées pareilles». En fait, même les villageois me semblaient incompréhensibles. Je n'aurais pas supporté de vivre au village, d'entendre claquer les portes des voisins, de les voir courir à droite et à gauche dans leurs vêtements bien assortis et toujours repassés. On entendait raconter toutes sortes d'histoires sur les citadins. Des fanfarons s'efforçaient de démontrer leur expérience du monde en laissant entendre qu'ils avaient autrefois séjourné en ville et savaient comment s'y débrouiller. Des agriculteurs se vantaient en citant à tout propos de lointains parents citadins, comme s'ils détenaient pour autant le mystère de la vie et, de ce fait, méritaient le respect.

Quand la Gestapo était venue et que, dans son excitation, Nathanael m'avait serrée dans ses bras, j'avais senti pour la première fois qu'il était semblable à moi. Avant cela, il était plus proche des bêtes dont je m'occupais que d'un véritable être humain. Je n'avais jamais songé à le trahir, mais, de ce jour, j'aurais tout fait pour que ça n'arrive pas.

Je gardais une attitude froide et plutôt distante envers Nathanael. J'aimais l'avoir dans le poulailler et, néanmoins, j'étais réservée à son égard. Nos rapports jusque-là m'avaient laissée perplexe. Ne sachant à

71

quoi m'attendre de sa part, j'estimais préférable de maintenir une attitude un peu guindée et de ne rien attendre du tout. Il me vint à l'esprit qu'en plus du désagrément d'être enfermé au milieu de poules qui picoraient, il devait s'ennuyer de ne rien faire. Peut-être pourrait-il de temps à autre me donner un coup de main. Un matin, j'arrivai avec des haricots plein mon tablier et demandai à Nathanael s'il voulait bien les écosser car j'étais surchargée et je voulais les mettre en bocaux pour l'hiver.

– Je serais très heureux de faire ça pour vous. Je voulais vous proposer mon aide mais j'avais peur que vous ne vouliez pas que je touche à vos affaires. S'il vous plaît, comment dois-je faire ?

– Tu ne sais pas ?

– Non, madame… Eva… J'ai toujours vu les haricots arriver cuits sur une assiette, avec un morceau de beurre dessus.

– Ah ! Parce que vous aviez des domestiques qui s'occupaient de ces basses besognes ! Eh bien, vois-tu, à la campagne, on le fait soi-même. Ce n'est pas difficile. Même un gamin des villes peut s'en tirer. Tu prends la cosse d'une main, tu pinces le bout comme ceci et tu tires le fil qui est sur le côté. Tu fais un tas avec les bouts et les fils, et un autre tas avec les haricots écossés. Les haricots, je les passerai trois minutes dans de l'eau bouillante avant de les mettre en bocaux ; les bouts et les fils iront dans la soupe.

Il n'avait pas protesté quand j'avais parlé de domestiques et, bien que j'aie voulu plaisanter, j'en conclus qu'il en avait. Chez nous, c'était la plaisanterie rituelle lancée aux paresseuses : « Je suppose qu'on laisse cette corvée aux domestiques, ma mignonne!» Il est probable qu'il en avait. Quand on étudie à l'université, où trouver le temps pour les corvées? Les gens qui vivaient en ville avaient sûrement besoin d'une ou deux domestiques.

Je l'observai le temps qu'il écosse quelques haricots et comme il s'y prenait adroitement, je le laissai à sa tâche. Quand je revins un peu plus tard, il avait presque terminé. Après cet essai, je réservai à Nathanael les petits travaux qu'il pouvait faire, ce qui me déchargeait d'autant. Je lui portais les outils à nettoyer, des paniers à réparer et d'autres bricolages faciles à transporter au poulailler et à exécuter sur place. Encore quelques semaines et nous étions déjà plus audacieux : Nathanael alla ramasser des légumes au potager. Il risquait d'être vu mais le risque était infime. De la route, on ne peut pas voir ce qui se passe derrière la maison; pour cela, il faudrait arriver par le tertre et je n'avais pas souvenir d'avoir jamais vu quelqu'un venir par là. Désormais, Nathanael m'aidait au potager.

Nous parlions très peu. Je craignais qu'il interprète à tort un de mes propos comme l'expression de mon désir de le voir partir. Bien sûr, je me rendais au moins trois fois par jour au poulailler. Le matin pour nourrir la volaille, ramasser les œufs et porter du café à Nathanael avec un petit supplément les bons jours. L'après-midi, j'y retournais pour les poulets et j'apportais à Nathanael de la soupe, des pommes de terre. Le soir, avant le coucher du soleil, je ramassais de nouveau les œufs et j'apportais la nourriture pour les poulets et le dîner de Nathanael.

Depuis que je lui confiais des travaux, Nathanael devenait une part toujours plus essentielle de mon existence. Quand je pensais aux besognes de la journée, je pointais mentalement celles dont je pourrais le charger : l'épluchage des légumes pour la soupe, le tri et le calibrage des œufs, et même le raccommodage que je ne trouvais plus le temps d'expédier. Ainsi, quand je revenais après avoir livré les œufs, une partie de ma besogne était accomplie. En fait, compte tenu des tâches que Nathanael remplissait pour moi, je passais pour abattre plus de travail qu'il n'était humainement possible. Personne ne le remarqua : comme je me plaignais moins qu'auparavant à mes enfants, ils ne se doutaient de rien.

Un après-midi, Nathanael qui désherbait les rangées de tomates au jardin m'appela pour me montrer quelque chose. Il tenait à la main une chenille de la tomate, verte et charnue, presque aussi ronde qu'un grain de raisin, et me demanda ce qu'il fallait en faire. En lui montrant comment je la coupais en deux pour m'assurer qu'elle était morte, je me penchai vers la bestiole. Nathanael posa doucement sa main sur mon épaule et me tourna vers lui. Je le regardai bien en face et, voyant en lui de la tendresse, je m'avançai jusqu'à ce que nos lèvres se rejoignent. Ce fut un baiser timide, doux et chaste. Un baiser qui marqua le début d'une passion mais fut en soi un échange d'une autre sorte. Ce baiser, auquel j'ai songé maintes fois, était pur et interrogateur. C'était Nathanael qui me demandait si j'accepterais son baiser, s'il pouvait exprimer son affection pour moi, si j'étais prête. C'était moi qui demandais à Nathanael s'il me témoignerait de la tendresse, si une émotion comparable à celle que je ressentais cheminait en lui; c'était moi qui demandais à Nathanael s'il désirait ce que je désirais. Nos lèvres, quand elles se frôlèrent de la façon légère dont elles le firent, nous portèrent en un lieu où nous pourrions nous rencontrer sans plus être la protectrice et l'évadé. Notre baiser, irrévocable, était l'aveu que l'attraction que j'avais senti flotter entre nous, que la force qui m'avait aveuglément incitée à le cacher étaient mutuelles et réelles. Nous échangeâmes notre baiser les yeux ouverts mais nos sourcils étaient froncés sous l'effet des questions en suspens.

Si Nathanael m'avait serrée contre lui et s'il avait soulevé mes jupes entre les rangées de tomates, je l'aurais laissé faire. Mais après nous être embrassés, puis séparés, les yeux dans les yeux, ses mains me relâchèrent et il me tint à bout de bras. Il vit qu'il n'avait pas comblé mes désirs mais, guidé sans doute par sa délicatesse, il me quitta et retourna au poulailler. Je ne dis rien mais je m'inquiétai : mon ardeur l'avait-elle effrayé? Je ne pouvais cependant pas le poursuivre, exhiber devant lui mon désir, ce n'était pas dans mes manières. C'était bien assez de lui avoir rendu le baiser, d'avoir répondu de mes lèvres à la pression des siennes. Ce soir-là, après le retour de mes enfants et le dîner, je fus tentée d'aller faire un tour du côté du poulailler mais la crainte que l'un ou l'autre regarde par la fenêtre m'en dissuada.

Le lendemain après-midi, quand j'arrivai au poulailler, Nathanael m'attendait derrière la porte. Il m'attira vers lui et m'embrassa sur la bouche, sans retenue. Mes bras qui l'enlaçaient l'assurèrent pleinement

– il en avait besoin – que son corps près du mien était le bienvenu, alors il embrassa mon cou et mes oreilles, caressa mes cheveux et, serrant ma tête entre ses mains, il baisa mon visage, partout en même temps, me sembla-t-il. Il me porta dans son coin, où il avait installé la couverture que je lui avais donnée, et m'étendit dessus. Il trouva les endroits qui avaient besoin d'être touchés et caressés, respira mes cheveux, lécha mon oreille et ce ne furent plus bientôt que gémissements et soupirs et murmures et soupirs.

Plus tard, toujours allongée et la main de Nathanael dans la mienne, j'eus peine à me remettre de ma surprise. Mon corps avait été si ébranlé qu'il avait paru se désintégrer un moment, puis se reconstituer, morceau par morceau, jusqu'à ce que je revienne à un état proche de la normale. Une fois que j'eus compris ce qui m'était arrivé, je me tournai vers lui pour renouveler notre union. Il se méprit d'abord et se contenta de me serrer étroitement jusqu'à ce que je lui dise : «Nathanael, j'en désire davantage». Il m'écarta pour chercher sur mon visage ce que je voulais dire, gloussa de rire et, de nouveau, il me combla. Quand il sentit mon corps se détendre, il me garda contre lui, caressa mes cheveux, mon corps, mes seins, mes mamelons, il m'embrassa et me lécha lentement, comme un chat. Il vit que mon plaisir durait et parut heureux et légèrement surpris de pouvoir créer pour moi ce plaisir.

– Et maintenant, est-ce assez ? demanda-t-il.

– Non, dis-je.

Amusé, il continua, stupéfait d'avoir engendré des sensations si extrêmes.

Chaque fois que ma passion fléchissait tant soit peu, j'aspirais à la retrouver, comme si je doutais qu'elle eût existé. Jamais encore je ne l'avais éprouvée à ce point et son retour me laissait chaque fois stupéfaite. Mais cette découverte que je faisais grâce à Nathanael dévoilait mon innocence et mon expérience limitée.

– Ai-je été très égoïste? demandai-je.

– Merveilleusement égoïste, dit-il en riant. Tu n'as jamais pris de cours d'art dramatique, n'est-ce pas? Tu ne peux pas être blasée. Ça ne t'ennuie pas de me montrer que je te tiens à ma merci?

– Je n'y pense même pas! Tu aimerais mieux que je me cache de toi? Ça pourrait être plus stimulant pour toi. Peut-être préférerais-tu avoir à me convaincre, m'enjôler, me supplier... Veux-tu qu'on recommence? Je me refuserai aussi longtemps que tu voudras. Mais ce sera un jeu auquel je ne trouverai aucun plaisir.

– Moi non plus.

Nos amours dans le poulailler intriguaient visiblement la volaille. L'une après l'autre, elles s'étaient attroupées autour de nous. Nathanael et moi nous sommes regardés, riant de nos sourires et des caquètements de plus en plus sonores. L'intimité avec Nathanael me semblait toute naturelle. Un jour, il me demanda comment il se faisait que je n'éprouve aucun scrupule d'ordre moral à me conduire ainsi. Les expériences que nous partagions, si faciles et agréables, étaient la part la plus naturelle de notre relation. Lui permettre de ma propre autorité de rester dans le poulailler me semblait bien plus étrange que d'avoir entamé une relation intime avec lui.

C'était autre chose. Partager le plaisir avec quelqu'un ne relevait pas de la morale. Les subterfuges auxquels je recourais pour apporter à manger à Nathanael et dissimuler ses traces me tracassaient beaucoup plus que l'idée que nous pourrions mal agir ou que quelqu'un pourrait en juger ainsi. Je ne cachais pas l'intensité de ma jouissance que je sentais beaucoup plus vive que la sienne. Sur un certain plan, peut-être, nos dettes s'égalisaient, un équilibre du pouvoir s'instaurait entre nous. Il se peut que Nathanael ait vu là un moyen de s'acquitter de ses obligations envers moi.

C'était un amant attentionné. Ayant constaté que j'avais peu d'expérience, il entreprit de m'enseigner ce qu'il savait. Nos rencontres avaient forcément lieu dans la journée, quand les enfants étaient en classe. Nous prenions le temps que nous pouvions mais sans que je rompe avec ma routine. Je continuais de livrer mes œufs tous les deux jours et d'assurer le marché du samedi. Ce qui nous laissait quand même quelques moments pour nous deux.

4

Au milieu de l'hiver, j'avais déjà presque doublé la vente de nos œufs par rapport à ce qu'elle était quand mon mari avait rejoint l'armée. Hans m'avait bien expliqué comment m'y prendre pour accroître notre production et j'avais suivi ses instructions sans difficulté. Plus le temps passait, plus la demande en œufs augmentait. De graves pénuries de vivres commençaient à se faire sentir, y compris dans les villages. Les forains m'apprirent que de nouveaux venus vivaient à présent dans le nôtre, des gens consternés par ce qui se passait dans les villes, grandes ou moyennes. Vendre mes œufs n'était pas un problème ; j'avais même l'impression que chaque jour quelqu'un m'envoyait un nouveau client. Une de mes meilleures et plus anciennes clientes habitait près de l'église. Elle préparait les repas du prêtre et, depuis qu'on manquait de tout, elle me demandait souvent quelques œufs de plus. Un jour, elle me pria d'entrer chez elle, ce qu'elle n'avait jamais fait, et me dit que les religieuses du couvent avaient besoin d'œufs et, de temps en temps, d'un poulet. Je ne voyais pas pourquoi elle en faisait mystère mais je lui dis que je passerais le jour même au couvent prendre la commande.

Le couvent occupait la situation la plus élevée du village et donnait sur une rue qui s'arrêtait à sa porte. Du jardin devant la façade, on aurait pu voir notre ferme s'il n'y avait eu tant d'arbres entre les deux. Après avoir sonné la cloche, je vis à plusieurs fenêtres que l'on tirait les rideaux pour voir qui était là. Enfin, une sœur arriva; elle m'introduisit dans l'entrée, sur laquelle ouvrait directement l'énorme porte de bois, et me demanda d'attendre. Un silence sinistre régnait dans la pièce dont j'examinai les boiseries sculptées le long des murs et les fenêtres garnies de verre coloré qui s'élevaient sur une hauteur de plusieurs étages au-dessus de moi. Deux grands et lourds fauteuils de bois sculptés aux pieds tournés en forme de spirale occupaient deux angles, mais l'idée de m'y asseoir ne m'effleura pas. On aurait dit des spécimens, des pièces d'exposition plutôt que des sièges où se reposer; mis à part les fauteuils, la pièce était vide. J'avais l'impression d'avoir été introduite dans un lieu destiné à des cérémonies secrètes et des rituels mystérieux où chaque instant de la journée appelait un exercice particulier dont le sens échapperait toujours à un étranger. Quand un visiteur frappait à leur porte, les sœurs étaient si polies et cordiales qu'il ne pouvait savoir l'activité qu'il avait interrompue et que les sœurs reprendraient dès son départ. Si grande était leur courtoisie qu'on n'était jamais sûr de ne pas avoir enfreint par inadvertance une de leurs règles ou, pis encore, de ne pas les avoir offensées. La crainte planait toujours aussi qu'en vertu d'un malentendu inexplicable on ne soit amené à s'attarder et se joindre aux prières et que, sous l'emprise de quelque puissance écrasante, ne sachant comment dire qu'on souhaitait s'en aller, on ne soit rapidement initié aux voies qui conduisent à la vie monastique et à la foi. Depuis des siècles, les prières et la foi imprégnaient l'air de la pièce, foi que l'on pouvait respirer, éléments vitaux aspirés et répartis dans tout le corps, puis exhalés, et qui subsisteraient dans cet espace quelques siècles encore à seule fin d'être inhalés par d'autres.

Une sœur de haute taille pénétra dans l'entrée dont elle chassa incontinent le mystère ambiant ; elle s'essuyait les mains à une serviette glissée dans la ceinture rustique qui serrait son ample robe. Ce doit être la sœur cuisinière, pensai-je. Elle se présenta sous le nom de sœur Karoline et me demanda combien d'œufs je pourrais apporter par semaine. Je lui dis que jusqu'à présent, j'en produisais au plus six douzaines par semaine mais qu'à partir de mai, j'en aurais nettement davantage parce que j'avais gardé plus de poulettes. Elle dit que c'était parfait et proposa que je lui en apporte une douzaine par semaine pour commencer. Je lui donnai mon accord et nous avons fixé le prix. Puis elle me tendit une boîte dans laquelle elle désirait que je lui livre les œufs. Elle voulait que je les lui apporte dans la boîte et quand elle les prendrait, le jour du marché, elle me donnerait pour la douzaine suivante une autre boîte où je trouverais chaque semaine mon paiement. Je ne voyais pas d'objections à ces dispositions et je me fis ainsi ma meilleure cliente et la plus régulière.

Plus je fréquentais le marché, plus j'apprenais. Depuis la visite de la Gestapo, je prêtais une attention soutenue aux racontars des vendeurs. Au début, j'avais ignoré leurs bavardages parce que je ne les reliais à rien. Les femmes, surtout, s'habituèrent à ma présence et, de temps à autre, m'interrogeaient sur tel ou tel point, comme elles interrogeaient les autres. C'est ainsi que j'appris qu'il fallait nous attendre à une nouvelle visite du fonctionnaire de l'Office de l'agriculture. Il habitait un village voisin et avait pour mission de visiter toutes les exploitations de notre district. C'était un ancien instituteur qui, grâce à des relations politiques, avait été nommé représentant local de l'Office de l'agriculture. Il devait contrôler la production et établir les quotas. À chaque nouvelle réglementation du gouvernement, il était censé vérifier que les gens la connaissaient et qu'elle était respectée. Il tenait un registre des activités de notre exploitation où figuraient aussi les chevaux que nous avions eus. Quand il vint nous voir et apprit que nous avions accru notre production d'œufs, il remonta notre quota pour la volaille et nous dit comment améliorer la nourriture que nous lui donnions. La fois suivante, quand il revint, il nous parla d'une épandeuse à fumier qui était disponible, au cas où nous voudrions l'acheter à une ferme de la région. On entendait rarement parler de matériel agricole disponible car le pays n'en fabriquait pas et peu de gens voulaient se séparer de leurs machines, si vieilles et rouillées fussent-elles.

– Voyez-vous, nous précisa-t-il, il s'agit d'une machine presque neuve. Elle a très peu servi car, peu après cet achat, les gens qui l'avaient acquise se sont aperçus qu'ils ne seraient pas autorisés à l'utiliser.

Nous n'avons pas posé d'autres questions, ayant compris que nous bénéficierions du malheur de quelqu'un d'autre, dont nous préférions ne pas connaître le détail.

J'étais seule à m'occuper des poulets. Quand mon mari revint pour sa permission, il crut me faire une faveur en ramassant les œufs le matin, comme il le faisait avant. Il affola tant les poules qu'elles ne pondirent pas de la semaine. Elles étaient habituées à moi et semblaient apprécier ma façon de faire. Avec moi, elles se laissaient examiner et je n'avais aucun mal à obtenir ce que je voulais; les très vieilles étaient particulièrement faciles. En fait, j'étais ébahie qu'elles n'aient pas fait plus de raffut quand un étranger s'était installé dans le poulailler. En un rien de temps, elles s'étaient habituées à sa présence.

L'étranger – disons plutôt Nathanael puisque, désormais, je l'appelais ainsi dans mes pensées – fit rapidement partie de mon quotidien. J'avais été très peu consciente du monde imaginaire qui avait envahi mon esprit au fil des jours de ma vie de paysanne. Cependant, Nathanael et ses tendres attentions avaient dissipé les rêves brumeux de plaisirs inconnus qui m'étaient promis dans un monde qui n'existerait jamais. Parfois, Nathanael lui-même semblait imaginaire et quand, seule dans mon lit, je songeais à nos rencontres dans le poulailler, une vague rêverie atténuait la réalité claire et forte qu'était Nathanael et les palpitations aiguës et délicieuses que nous partagions. Quand je repensais à notre plaisir, c'était avec une sorte d'hésitation qui n'existait pas du tout quand nous étions ensemble. Il y avait toujours un moment où je me demandais si Nathanael pouvait me faire éprouver cet instant de lévitation qu'une femme comme moi ne saurait décrire et que je n'avais jamais connu avant. À certaines époques, je m'étais caressée pour voir s'il y avait toujours de la vie, mais je n'avais pas trouvé ce que Nathanael avait provoqué et la sensation avait toujours été brève et décevante. Avec Nathanael, l'effet de la caresse persistait longtemps et m'accompagnait tout au long de la journée. Nathanael... Nathanael et moi faisant l'amour... À présent ces deux images tournaient constamment dans ma tête.

Le poulailler nous fournissait l'intimité, du moins vis-à-vis des humains. Quand nous voulions que les poules aussi nous fichent la paix, nous descendions la tête de chou, un dispositif que mon mari avait inventé pour calmer les poulets quand ils s'attaquaient mutuellement. Suspendu au bout d'une ficelle attachée au plafond, le chou se balançait et, au lieu de se battre entre eux, les poulets se jetaient sur lui et le picoraient. Quand le chou pendait, les volailles s'attroupaient autour et nous ignoraient, Nathanael et moi, pendant au moins une demi-heure. Lorsque j'entrais dans le poulailler et que le chou pendait déjà, la joie déferlait en moi à l'idée que Nathanael avait prévu nos retrouvailles. Il m'attendait toujours dissimulé dans son coin pour me laisser la possibilité de ressortir aussitôt en cas de danger, une mesure de sécurité que nous avions adoptée d'emblée, sans même en avoir discuté. Elle n'a jamais servi à rien. D'habitude, quand j'entrais dans le poulailler, je m'assurais que je ne m'étais pas trahie moi-même jusqu'à ce que je sois sous le perchoir, dans l'obscurité où l'on ne pouvait nous distinguer à travers les fenêtres du poulailler. Il n'y avait jamais personne pour regarder par ces fenêtres mais c'était une mesure de précaution. Le temps que j'arrive dans son coin, il avait déjà retiré ses vêtements et commençait à me déshabiller. Quelquefois, j'allais au poulailler sans culotte pour lui faire une surprise. Quand il glissait la main sous ma jupe pour l'ôter et découvrait que je n'en avais pas, il était si ravi qu'il m'attirait à lui sans prendre le temps de m'enlever le reste. Cet été-là, je portais rarement une culotte car, même si je n'espérais pas que nous aurions l'occasion de faire l'amour, c'était pour moi un rappel intime pendant que je préparais le dîner à la cuisine ou que j'étendais la lessive. L'air qui se coulait entre mes jambes pendant que je vaquais à mes occupations m'excitait.

Nos rencontres étaient donc limitées à la journée. Parler de nos sensations alimentait le feu de notre passion. Difficile de décrire pareilles conversations où il était surtout question de l'acte d'amour. Leur contenu m'échappe aujourd'hui, mais je sais que jamais nous ne nous hasardions hors de notre présent commun. Le passé dont nous n'avions rien partagé semblait hors de propos et l'avenir inimaginable s'il n'était le prolongement du présent. Nous nous délections de ces confidences murmurées; ce fut la seule époque de ma vie où moi et un autre avons réfléchi ensemble au fait de donner le plaisir et, ainsi, d'en recevoir. Nous étions comme des enfants captivés par un jeu dont ils découvrent les possibilités, qui s'émerveillent l'un l'autre de leurs inventions et s'enchantent de l'intimité de ses mystères. Pour la première fois, je parlais à quelqu'un de mes sensations.

De temps en temps, je recevais une lettre de mon mari, généralement pour me rappeler tel détail pratique dont je devais m'occuper. Je ne pensais jamais au danger qu'il pouvait courir, ni à ses occupations de soldat. Qu'il soit à l'armée signifiait pour moi qu'il n'était pas à la ferme. Je savais qu'il s'agissait d'une obligation, elle-même en relation avec la guerre, mais j'ignorais où il se battait et contre qui. De mon côté, je lui écrivais pour l'informer du nombre d'œufs que j'avais vendus, des travaux courants et des activités des enfants. Il semblait content que nous nous défendions si bien sans lui.

Un soir, au dîner, les enfants bavardaient comme d'habitude de leurs camarades de classe, sujet auquel je prêtais d'habitude peu d'attention car je ne connaissais pas leurs amis. Mais ce soir-là, mon attention fut brutalement alertée.

– … elle a découvert qu'il était métis et elle a été arrêtée. Il paraît qu'une autre fille l'a raconté aux autorités. Sans doute par jalousie.

– Qu'est-ce qu'ils en ont fait? demanda Karl.

– Ils l'ont envoyée dans un camp de rééducation. Elle a résisté tant qu'elle a pu et elle a promis tout ce qu'on voulait mais, en fin de compte, ni elle ni sa famille n'ont rien pu faire. Elle a avoué que, pendant son année de travail en ville[1], elle avait couché avec

---

1. Pour écarter les jeunes de leur famille, créer un austère esprit communautaire et remplacer les hommes mobilisés, les jeunes H.J. étaient astreints à une année environ de service civique; les citadins, envoyés dans les campagnes, coopéraient aux travaux agricoles; les ruraux étaient affectés dans les villes aux travaux d'entretien, d'hygiène et de solidarité. *(N.d.T.)*

le serpent. Elle a répété tant et plus qu'il lui avait caché qu'il était un sang-mêlé. Elle aurait dû le savoir, non?

– Et comment! C'est dégoûtant de penser qu'elle s'est souillée de cette façon. Plus personne ne voudra l'approcher. En fait, je pense qu'ils vont la soigner.

– Qu'est-ce que tu veux dire?

– Eh bien, il y a une punition à perpétuité pour un crime aussi répugnant.

– Laquelle? insista Olga.

– Tu le sais bien.

– Tu veux dire que…?

– Bien sûr.

– Mais enfin, de quoi parlez-vous? demandai-je, à la fois subjuguée et désorientée par cette conversation. Quelle est cette punition?

– Ce n'est rien, maman. Des choses dont on ne peut pas parler avec toi, répondit ma fille, embarrassée.

Ils m'avaient totalement ignorée jusqu'à ce moment, tenant pour acquis ma naïveté et mon absence d'intérêt pour ce sujet.

– Ah non! Vous en avez trop dit! Vous ne pouvez pas me cacher ce qu'a été sa punition. Il faut me tenir au courant de ce qui se passe.

– Je t'assure, maman, ce sont des choses qu'on ne peut pas te raconter, protesta Karl.

– Sûrement pas si choquantes que je ne puisse les entendre. Donnez-moi ma chance! Que je sache moi aussi ce qui arrive chez nous.

– Ils vont stériliser Elisabeth, murmura Olga, parce qu'elle a eu des relations avec un garçon qui a un grand-père juif.

– La stériliser? murmurai-je à mon tour.

– Oui, maman, confirma mon fils. Comme ça, ils seront sûrs qu'elle n'aura jamais d'enfants. En fait, qu'elle ne se mariera jamais. Une fille qui a eu des relations avec ce genre de gens, on ne peut pas lui faire confiance pour assurer la reproduction de notre peuple. Elle a dû souffrir d'un dérèglement mental pour faire une chose pareille et elle n'est sûrement pas assez équilibrée pour porter des enfants dignes de servir notre Führer.

J'étais atterrée. Faute d'être sûre de pouvoir garder mon sang-froid, je ne posai pas d'autres questions. Ils avaient exposé le cas de leur camarade avec un calme parfait, sans la moindre compassion, persuadés qu'il s'agissait d'un règlement tout à fait équitable, exactement comme ils auraient parlé d'un mélange de blé et de maïs pour la volaille. Plus j'y réfléchissais, plus ce qu'ils m'avaient révélé m'apparaissait monstrueux et le naturel avec lequel ils admettaient l'équité du châtiment pour ce crime m'horrifiait. Bien sûr, c'était à la Jugend qu'on leur avait inculqué ces idées. Sans elle, comment auraient-ils pu inventer une chose pareille? Ils n'avaient jamais eu l'occasion de connaître de métis, juifs ou autres. Dans notre voisinage, il n'y avait que des personnes ordinaires, toutes pareilles, toutes semblables à nous. Pourquoi mes enfants se seraient-ils interrogés sur les origines de leur partenaire s'ils avaient eu une liaison? Que penseraient-ils de moi?

Le lendemain, après le départ des enfants pour l'école, je me précipitai au poulailler sans attendre l'heure habituelle. J'étais si tourmentée par les révélations d'Olga et de Karl que j'oubliai de fredonner pour annoncer mon entrée. Les poulets s'agitèrent et Nathanael, persuadé que je venais annoncer un danger imminent, fila vers les lattes pour disparaître dans sa cachette. Je lui dis que c'était inutile et chassai sans ménagement les volatiles dehors pour faire cesser leur vacarme.

– Ton visage est creusé par le récit des horreurs,
La peur a empourpré tes joues,
Tes yeux étincellent de fureur et de colère,
Tes narines…

– Je t'en prie, Nathanael! L'heure n'est pas à la poésie! l'interrompis-je. C'est trop grave. Tu ne croiras jamais ce qu'Olga et Karl m'ont dit. Ils stérilisent les jeunes filles qui ont fait l'amour avec des Juifs. En l'occurrence, il ne s'agit même pas d'un Juif à cent pour cent, seulement d'un métis. Mais ils ont arrêté la jeune fille, ils l'ont stérilisée et elle n'a que seize ans. Elle ne pourra jamais se marier et elle n'aura jamais d'enfants. Comment en sommes-nous arrivés là?

– Je suis toujours surpris que tant d'informations aient pu t'échapper, mon Eva. Tu es si pure et innocente que tu ignores ce qui se passe autour de toi. Tu ne peux te comporter comme il faut si tu ne sais pas ce que tu es censée faire et penser. Tu as enfreint la loi en t'unissant à moi sous le perchoir. Tu as forniqué avec un Juif, ce qui appelle un châtiment pire qu'une simple stérilisation, sache-le bien. Après t'avoir stérilisée, ils placarderont une annonce sur la grand-place, si bien que tout le monde te fuira et tu ne vendras plus un œuf au village. Non parce que tu seras stérilisée, bien sûr, mais parce que plus une de tes clientes ne voudra commercer avec un élément antisocial. De peur d'être étiquetée sympathisante : t'acheter un œuf ferait d'elle une suspecte. Si tu crois pouvoir partir et commencer ailleurs une autre vie, tu te trompes, car tu devras toujours montrer tes papiers d'identité qui porteront le tampon signalant ton châtiment; tu seras ignorée, tu seras traitée comme une hors-la-loi le restant de tes jours. Faire l'amour avec un Juif, cela revient à être juif. Je lis sur ton visage un immense désarroi. Je t'en prie, réfléchis à tout ça. Nous en parlerons demain, quand tu auras repris tes esprits.

– C'est tout réfléchi! Quand ont-ils décidé qu'ils peuvent me dire avec qui j'ai le droit de faire l'amour? Je peux faire l'amour avec un Chinois mais pas avec un Juif? Quelle maladie ont-ils, les Juifs? Ont-ils peur que je l'attrape? Suppose qu'ils inventent un autre décret qui leur convient mais ne me convient pas. Qu'est-ce que je ferai? Ils n'aiment pas faire l'amour avec des Juifs? Ça les regarde. Moi, je ferai ce qui me plaît.

Je pris cette décision sans hésiter, mais l'affaire était grave, je le savais. Peut-être les autres Juifs étaient-ils différents de Nathanael. Peut-être Nathanael était-il une exception. Il se pouvait que les Juifs présentent une particularité héréditaire qui constituait un danger réel pour l'ensemble de la population, ce qui nécessitait une loi aussi sévère. Vrai ou faux, je l'ignorais. Nathanael ne présentait pas de caractéristiques négatives manifestes, il en avait beaucoup de très attachantes. Je ne pouvais rien dire des autres mais, dans le cas de Nathanael, je pouvais assurer que rien ne motivait une telle loi. Que l'État édicte une loi pour autoriser que l'on couche avec tel ou tel et non avec tel ou tel autre me semblait très étrange. Je ne voyais pas d'autre loi que j'aurais pu violer. Permettre à Nathanael de rester caché dans le poulailler pouvait être considéré comme contraire à la loi. Mais qu'il soit illégal de faire l'amour avec quelqu'un, c'était nouveau pour moi.

Et ça ne manquait pas d'ironie ! J'avais réfléchi au fait qu'en couchant avec Nathanael, j'avais violé les promesses de mon mariage, mais pas parce qu'il était juif. Mon ignorance était si totale que sa qualité de Juif n'avait pour moi aucun sens. J'étais incapable de comprendre ce qu'elle avait à voir avec son caractère, par exemple. Qu'avaient-ils contre les Juifs en particulier ? Il est vrai que, même après avoir appris que je courais le risque d'être stérilisée, je continuais à jouir de ma liaison avec Nathanel. Un jour, il me demanda si le fait de savoir qu'il était un criminel recherché par les autorités accroissait mon plaisir. Je lui ris au nez : il n'était pas un criminel au sens ordinaire du terme, même s'il s'était évadé du camp et avait tué un garde. Pour moi, il avait été arbitrairement déclaré criminel, comme je pourrais l'être moi-même s'ils décidaient un jour que les producteurs d'œufs étaient des criminels. Il aurait été plus logique de faire appel à lui pour rédiger des lois que d'en faire leur victime. Puis Nathanael voulut savoir si, en plus de coucher avec un criminel et un Juif, courir le risque d'être moi-même punie m'excitait. Je lui répondis simplement que ce qui m'excitait, c'était sa façon de me regarder, de me toucher, et ce que j'éprouvais auprès de lui. Je ne parvenais pas à analyser ce que Nathanael avait de si particulier et qui me donnait un tel plaisir, mais nul avant lui n'avait songé à me faire jouir plutôt qu'à jouir de moi. Je n'avais fait l'amour qu'avec mon mari et personne ne s'était soucié de lui apprendre à donner du plaisir. Chez Nathanael, c'était peut-être instinctif, ou dû aux circonstances; une chose est sûre, c'était ainsi qu'il réagissait au plaisir qu'il voyait en moi.

Je demandai à Nathanael quelles autres choses il pourrait me révéler avant que mes enfants ne le fassent. J'ignorais sans doute d'autres réalités, me dit-il, mais il refusait d'être celui qui m'ouvrirait les yeux. Je me sentis protégée, mais je n'avais rien appris qui puisse me décider à changer. De toute évidence, les citadins comme Nathanael avaient une vision très vague de l'existence des paysans, et il valait peut-être mieux maintenir cette forme d'ignorance mutuelle. Jusqu'à présent, je n'avais pas de raison de souhaiter adopter le mode de vie citadin, s'il inspirait des règles aussi absurdes.

Que mes enfants aient adopté sans hésitation cette mentalité me troublait. Dans le cas de la jeune fille, ils déploraient qu'elle ait commis le crime et non que sa liaison ait été un crime. Ils adhéraient les yeux fermés à ce qu'on leur inculquait à la Jugend. S'ils en discutaient à la maison, c'était pour se conforter mutuellement dans leurs opinions et c'était à qui témoignerait de plus de loyauté et de ferveur à l'égard du Führer et de la patrie. Le bien de la patrie était le mobile qui guidait tous leurs actes, et celui qui n'était pas de leur avis s'opposait forcément à la patrie : il était donc déloyal. Autrement dit, les autorités devaient en être informées et l'individu déloyal serait dénoncé. Même s'il s'agissait de leur mère, je crois.

J'étais quasiment sûre que, s'ils savaient, mes enfants me dénonceraient sans hésiter.

Karl et Olga étaient à l'âge où je pouvais m'attendre à ce qu'ils ressentent vivement un besoin d'indépendance. Dans les villes, les jeunes s'attardaient longtemps chez leurs parents, le temps de leurs études à l'université ou de l'apprentissage d'un métier, mais les miens approchaient de l'âge où, à la campagne, on songe à se marier et à s'établir. Une impression d'éloignement s'insinuait entre nous, comme s'ils se séparaient de la famille fragmentée que nous étions. Puisque mon mari était au loin, c'était peut-être à moi de favoriser une relation sérieuse pour ma fille et d'encourager mon fils à trouver une femme. Un jour, je pris ma fille à part pour aborder le sujet.

– Olga, ma fille, je me demande si tu te prépares à te marier. À ton âge, j'étais déjà presque une femme. Beaucoup d'hommes sont à l'armée et ton père n'est pas à la maison. As-tu quelque idée de l'homme que tu aimerais épouser ?

– Mammina, ta question est embarrassante. Il est probable que je trouverai moi-même le fiancé qu'il me faut à la Hitler Jugend, sans avoir besoin de m'en remettre à toi ou à papa. J'ai très peu de chances de trouver un mari dans les exploitations voisines car beaucoup sont plus pauvres que la nôtre. Pendant mon année de travail en ville, j'aurai un logement où je pourrai vivre et travailler ; je pourrai t'envoyer un peu d'argent. C'est ce que font beaucoup de mes amies. Et pour se marier, elles choisissent des hommes en ville, souvent des soldats ou agents de police. Qu'est-ce que tu en penses ?

93

– Je vais écrire à ton père pour savoir ce qu'il estime souhaitable pour toi. Tu pourrais peut-être trouver du travail au village. Je vais questionner mes clientes et voir ce qui se présente.

Olga n'objecta rien mais je la sentais décidée à trouver un travail une fois qu'elle serait en ville. Naturellement, je doutais qu'il soit souhaitable de l'envoyer en ville alors que ses amies y faisaient les expériences qu'elle m'avait décrites. Sans parler de toutes celles dont je ne savais encore rien.

5

Nathanael s'était attaché aux volailles, il aimait surtout les poussins juste éclos. Comme il n'avait rien à
faire, il lui arrivait d'en cueillir un et de lui parler tout
en lissant son duvet. Jaloux, les autres poussins se pres-
saient autour de lui pour réclamer son attention. Je
n'irais pas jusqu'à dire que les pondeuses étaient
domestiquées mais elles connaissaient Nathanael; au
bout de quelque temps, sa présence parmi elles alla de
soi et il faisait partie intégrante de la vie du poulailler :
elles l'avaient adopté. Les poussins qui l'avaient connu
dès leur naissance étaient particulièrement familiers
avec lui. Nathanael était si seul à longueur de temps
qu'il s'en fit des compagnons. Parfois, quand les
volailles se liguaient en bandes ennemies, il s'interpo-
sait très utilement. Il me raconta un jour comment il
avait sauvé une des pondeuses en la lançant par la
fenêtre. Les autres avaient détecté sur son croupion
une petite tache de sang après qu'elle avait pondu et
s'étaient mises à picorer la tache; comme le goût leur
avait plu, la tache disparut rapidement mais le sang
coulait en abondance de la chair blessée. D'autres
poules s'aperçurent qu'il se passait quelque chose et
une bagarre éclata : une douzaine de volatiles contre la
malheureuse pondeuse. Nathanael n'avait jamais vu

pareil spectacle. Il sema la panique dans le poulailler en pourchassant la bête sanguinolente qu'il finit par empoigner à deux mains et jeter par la fenêtre. C'était la seule solution, bien sûr; sinon, la poule était condamnée, mise à mort en moins d'une heure à coups de bec. Je voulus apprendre à Nathanael l'usage du crochet à poulet, mais il ne manifesta aucun intérêt pour la chasse aux récalcitrants. Il préférait ramasser en douceur les poussins qu'il gardait dans ses grandes mains. Une fois par semaine au moins, j'inspectais tous les oiseaux pour m'assurer qu'ils ne portaient pas de signes de maladie. Si leur couleur avait changé ou si je remarquais quelque chose d'inhabituel, je m'emparais du crochet, attirais la bête vers moi et l'attrapais d'une main pour procéder au contrôle en cinq points que le représentant de l'Office de l'agriculture m'avait enseigné. J'examinais les pattes, l'orifice anal, les yeux, la crête et la caroncule. Si j'observais un signe suspect sur le volatile, si ses couleurs commençaient à pâlir, s'il avait les yeux gonflés et saillants, je l'isolais dans une petite cage grillagée, réservée à cet usage. Je mettais la cage dans l'étable et je nourrissais séparément le poulet, au cas où il aurait été malade. Une fois sur deux, je pouvais le réintroduire dans le poulailler; sinon, je l'emportais au marché le samedi suivant ou, s'il était vraiment malade, je m'en débarrassais.

Nathanael avait horreur de ce contrôle dont le résultat était parfois l'éviction d'un de ses colocataires. Il cachait le crochet pour que j'aie plus de mal à les attraper et essayait de m'empêcher de les examiner. Un jour, même, il tenta de cacher un poulet dont les yeux étaient atteints.

Le samedi matin, avant de partir pour le marché, j'inspectais les poulets isolés dans la cage. Je rassemblais les œufs que je comptais emporter et les emballais soigneusement. Si des clientes m'avaient signalé pendant la semaine qu'elles achèteraient volontiers un poulet pour le dîner du dimanche, je faisais de mon mieux pour en apporter au moins un. C'était ce que Nathanael s'ingéniait à prévenir. Il supportait mal aussi que je cuisine un poulet pour nos repas.

– Tu ne vois donc pas dans quelle situation je suis? Je passe mes jours au milieu de tes poulets et tu voudrais que je me réjouisse d'en manger un! Toi, tu vas, tu viens, ça t'est facile d'être impitoyable; après tout, ce ne sont que des bêtes. Mais, dis-moi, quand donc t'es-tu régalée pour la dernière fois d'un poulet dans ton poulailler?

J'attribuais l'attitude de Nathanael à son éducation citadine. Incapable de considérer les pondeuses comme des fabriques d'œufs, il les voyait comme des êtres vivants, pas comme des unités de production. Quand vous habitez la campagne, de telles idées ne vous viennent pas, je pense. Mais le représentant de l'Office faisait régulièrement sa tournée chez nous et s'attendait à ce que la volaille soit saine, à ce que j'en prenne soin correctement. Parfois, il inspectait le poulailler d'un regard circulaire, mais jamais l'idée ne l'effleura d'y chercher quelqu'un. Il jetait un coup d'œil sur les nids, vérifiait la pureté de l'eau de l'abreuvoir et s'assurait que la nourriture n'était pas avariée. Il me suggérait quelquefois de m'y prendre autrement mais ne s'irritait que s'il remarquait des poulets malades.

Le représentant était content que le poulailler ait augmenté, ainsi que ma clientèle. Je faisais davantage d'affaires avec le couvent. La première semaine, les sœurs avaient demandé une douzaine d'œufs. Au bout d'un moment, elles m'apportèrent une boîte plus grande et le double d'argent pour que je leur fournisse deux douzaines la semaine suivante. Puis elles m'envoyèrent une somme encore plus élevée en demandant si j'avais des poulets. L'été venu, elles m'achetaient trois douzaines d'œufs et un poulet par semaine, si ce n'était deux.

Intrigué, Nathanael me questionna sur le couvent :

– Combien de religieuses y a-t-il donc dans ce couvent ?

Je n'en avais aucune idée et ce n'était pas mon genre de poser des questions. Et pourtant, cette augmentation rapide de leur demande, une aubaine pour moi, avait quelque chose de bizarre. Quand je demandai à sœur Karoline, d'un ton que j'espérais désinvolte, si les sœurs aimaient les œufs, elle me répondit une chose assez bizarre :

– C'est pour les enfants.

À ma connaissance, il n'y avait pas d'enfants au couvent et je me dis que les sœurs devaient s'occuper d'orphelins qui habitaient ailleurs. Avec la pénurie d'autres denrées, quantité de familles consommaient davantage d'œufs. Comme je l'écrivis à mon mari, la pénurie généralisée nous faisait vivre. Je vendais tout ce que j'apportais au marché dont je revenais presque toujours les mains vides. Les clientes se jetaient sur les légumes verts et si j'avais pu apporter davantage de produits, je les aurais écoulés. On trouvait très peu de viande dans les boutiques du village et beaucoup de villageois estimaient que les œufs remplaçaient la viande.

Je me demandais toujours qui étaient les enfants qui bénéficiaient des œufs que je fournissais chaque semaine au couvent. Au marché, je m'installais sur une caisse empruntée au café, mes paniers à mes pieds et les poulets attachés à ma cheville par une ficelle. Quand un client s'approchait pour regarder mes produits, je me levais et j'attendais debout jusqu'à ce qu'il ou elle ait pu bien les examiner. Je ne manifestais jamais mon désir ardent qu'on les achète. Contrairement à beaucoup de marchands au comportement très insistant, je m'efforçais de rester aussi discrète que possible. Au début, j'avais très peu vendu car les villageois n'étaient pas habitués à moi, mais, au fil du temps, ils en vinrent à apprécier mes manières qui leur permettaient de décider s'ils voulaient ou non acheter mes produits, et ils les achetaient.

Peu avant l'époque des moissons, le représentant de l'Office de l'agriculture passa chez nous et m'apprit qu'un nouveau règlement interdisait de donner du blé aux animaux. Le blé et le seigle étaient désormais exclusivement réservés à l'État, ces céréales étant nécessaires à la fabrication du pain pour l'armée. Nous avions soigneusement entretenu le champ, prévoyant qu'il fournirait un bon aliment pour les volailles dont le nombre augmentait. Sans notre blé, il me faudrait acheter de la nourriture.

– Alors, que vais-je donner à ma volaille ? demandai-je au représentant.

Il m'informa qu'il me vendrait tous les mois l'aliment approprié. Puis nous discutâmes du prix et il me promit de voir s'il pouvait arranger un prêt calculé sur les œufs et les poulets que je vendrais. Là-dessus, je protestai en disant que je ne voulais pas m'endetter pour acheter des céréales alors que j'en produisais moi-même. Il rétorqua que je ne pouvais pas utiliser ce que j'avais déjà planté, sous peine d'arrestation et, comme il s'agirait d'une trahison, je perdrais probablement ma ferme, et mes enfants perdraient leur mère. Ce n'était pas dans mon habitude de discuter avec le type de l'Office de l'agriculture mais ce nouveau règlement me paraissait si scandaleux et illogique que j'insistai : il me semblait normal de nourrir nos poulets avec les céréales que nous récoltions sur notre terre. Le regard du fonctionnaire me fixait avec dureté.

– Je vous conseille de réfléchir à vos propos. Je les oublierai si vous le jugez préférable. Je reviendrai la semaine prochaine avec les formulaires nécessaires à l'emprunt pour acheter de la nourriture.

Ce soir-là, je rapportai aux enfants les propos du représentant de l'Office de l'agriculture. Ils commencèrent par hausser les sourcils à l'idée qu'il faudrait renoncer à notre blé, qui nous avait coûté un travail long et pénible. Nous redoutions aussi la réaction de mon mari quand il l'apprendrait ; il avait si soigneusement préparé notre programme. Après un silence, j'ajoutai que si j'utilisais notre blé, je serais en danger d'arrestation pour trahison. Karl réagit vivement :

– Écoute, maman, il a raison. Je m'en souviens maintenant. On nous a dit que les céréales allaient être collectées et utilisées pour l'armée. Alors, désormais, nous allons nourrir papa et nos troupes. Tout le monde doit participer à la recherche de notre indépendance. Pourquoi donner aux poulets ce que nous devons donner aux soldats? En fait, cela reviendrait à aider nos ennemis.

– Mais avec quoi vais-je nourrir ces poules pour qu'elles continuent de pondre? L'État veut qu'elles nous donnent des œufs, non? Hier encore, ce fonctionnaire se félicitait que nos volailles en produisent par douzaines. Et maintenant, on va devoir s'endetter pour acheter des aliments. Votre père n'appréciera sûrement pas. Et les poules, qui sait si elles vont aimer leur nourriture?

– Tu dois faire ce qu'ils te disent, maman, sinon tu seras une opposante de l'État. Rappelle-toi : ils savent mieux que toi ce qui est bon pour nous tous. Le seul fait de penser que tu peux décider toi-même comment nourrir tes poulets est une trahison.

Il avait pris un ton tranchant, comme s'il venait d'appuyer sur un bouton et qu'il récitait; ce n'était plus à moi qu'il parlait. Sous ses propos, je sentais un adversaire, pas un allié. Je voulus mettre fin à la discussion.

– Bien sûr, je dois faire ce qu'ils disent. Mais comment penses-tu que je vais expliquer cette affaire à ton père? En attendant, nous allons nous faire du souci parce que les pondeuses pondront moins. Avec quoi vais-je rembourser ce prêt?

– Maman, ne parle plus jamais ainsi! Devant personne! Tu serais dénoncée aux autorités en moins de temps qu'il ne faut pour le dire.

Cette dernière phrase, il la prononça de sa nouvelle voix de chef, de protecteur de l'État, de l'homme qui observe les lois. Je parlais en ce moment à un membre exemplaire de la Hitler Jugend.

– Tu as raison, fils. Je suis stupide.

Comme je l'écrivis à mon mari, nous dûmes nous endetter pour nourrir les poulets.

Quand vinrent l'automne et le temps de rentrer la récolte réquisitionnée par l'État pour nourrir l'armée, je fis seule la moisson. Notre champ – il ne mesurait guère plus de deux acres – avait toujours produit de quoi nourrir les poulets, plus une petite quantité que j'utilisais pour faire notre farine. Cette année-là, résolue à ne pas nous priver, nous et les poulets, je mis de côté une partie de la récolte. Je sortis de la réserve de vieilles bâches, les étendis, y entassai du blé, les recouvris d'une autre bâche et tirai le tout sous la véranda où personne n'allait jamais. Je sauvegardai ainsi un quart de la récolte environ. De temps en temps, je renouvelais la vieille réserve de blé qu'on nous avait autorisés à garder; j'en ajoutais à la nourriture des poulets et m'en servais pour nos besoins à nous.

Nathanael remarqua le premier que les poules avaient changé. Certaines étaient abattues et indolentes, dit-il; elles se laissaient attraper sans réagir et ne pondaient plus du tout. J'isolai les pondeuses qu'il m'avait signalées et m'aperçus au bout d'une semaine qu'elles perdaient leurs plumes. Ce qui voulait dire qu'elles ne pondraient plus pendant un mois ou deux au minimum. Je devais enregistrer cette chute de la production sur la fiche d'exploitation que je présentais au type de l'Office de l'agriculture. Lors de sa visite suivante, il me conseilla d'y remédier en laissant une lumière allumée dans le poulailler, ce qui allongerait la durée du jour pour les poules et les ferait pondre davantage. Comme on était en plein automne, je me forçais à me tirer du lit vers cinq heures du matin pour allumer la lampe pour les poules. Si seulement Nathanael avait pu se charger de cette corvée! me disais-je souvent. Mais, bien entendu, c'était hors de question. Tout l'hiver, je fournis aux poules douze à treize heures de lumière et, de fait, elles nous donnèrent plus d'œufs. Malgré le changement de nourriture, j'arrivai à maintenir notre quota de ponte au niveau antérieur, en grande partie grâce à Nathanael devenu gardien de la paix entre les volailles; nous ne perdions plus d'oiseaux par suite de combats ou d'accès de cannibalisme. Il s'efforçait d'empêcher que les plus forts persécutent les jeunes et les faibles, et de faire en sorte que tous les volatiles aient leur ration de nourriture. En trois grandes enjambées, il couvrait la longueur du poulailler mais, quand il surveillait le comportement des volailles, il se déplaçait à tout petits pas et se trémoussait, mimant la démarche des gallinacés qui griffent le sol. Il leur parlait aussi, sur un ton aigu, comme s'il s'adressait à un enfant ou à un étranger. Les poulets avaient l'air de l'écouter.

Je n'arrivais plus à répondre à la demande d'œufs. Je me rendis d'abord au couvent, mon plus gros client, pour prévenir sœur Karoline que je n'étais plus en mesure de satisfaire à ses commandes habituelles. Elle réagit très vivement, elle était bouleversée et n'essaya pas de le cacher. Comme si, après avoir été un appui sur lequel elle pouvait compter, j'aggravais ses soucis tout à coup.

– Que veulent-ils que je fasse? Comment s'alimenter quand il n'y pas de nourriture? On ne peut pas vivre de pommes de terre. Vous-même, coquetière, qu'est-ce que vous mangez?

– Nous sommes autorisés à prélever de quoi manger sur notre production.

– Je vois, dit-elle d'un ton triste et résigné, comme si elle venait d'entendre une sentence de mort, comme si elle venait de perdre son ultime espoir.

La réaction de la sœur me blessa profondément. Je me sentais en quelque sorte personnellement responsable de la survie du couvent et j'avais déçu les religieuses. Désormais, quitte à me rendre au marché sans un seul œuf, je m'arrangeai pour honorer la commande du couvent. Parfois, j'y ajoutais quelques légumes.

Le représentant de l'Office vint à la date prévue et passa près d'une heure à remplir ma fiche et son registre.

– Combien ce mois-ci, madame?

– Trois cents quatorze, monsieur.

– Je sais qu'octobre est un mois de faible production, madame, mais je me demande si vous allez réussir à atteindre le quota pour l'année. Qu'en pensez-vous?

– Je fais de mon mieux, monsieur. Comme vous le savez, nous avons des bêtes assez jeunes. Je commence seulement à mettre plus de poules à la ponte, ce qui augmentera notre production. C'est le programme que nous avions établi ensemble, vous et moi. Le mois dernier, j'ai commencé à allumer la lampe à huile pour les réveiller plus tôt et leur garder le jour égal à la nuit. Mais les vieilles pondeuses produisent moins et, pendant quelques mois encore, certaines poulettes ne pondront rien du tout. Je n'y peux pas grand-chose.

– Que donne le contrôle des maladies ?

– Nous n'avons pas de maladies, monsieur.

– Pas du tout ?

– Non, monsieur. Voulez-vous vérifier par vous-même ?

– Non, madame, je vous remercie. Nous pourrons peut-être y jeter un coup d'œil le mois prochain, mais aujourd'hui je suis pressé.

– Juste une seconde, monsieur ! J'aimerais que vous goûtiez nos œufs, simplement pour que vous sachiez pourquoi ils ont tant de succès auprès de mes clientes au marché. Peut-être avez-vous entendu dire qu'ils sont très appréciés ?

– Je serais très satisfait de partager cette opinion. De fait, j'ai entendu dire que vos œufs sont excellents. À votre avis, à quoi est-ce dû ?

– Mes poules sont heureuses, monsieur, voilà mon avis. Des poules heureuses donnent des œufs savou-reux. J'ai mis de côté quelques œufs de mes vieilles pondeuses. Elles en donnent peu, mais quand elles se décident, ils sont gros.

– L'idée paraît un peu saugrenue mais, après tout, c'est une raison comme une autre. Vous savez que vous ferez honneur à votre mari si vous arrivez à aug-menter votre production. Une grave pénurie d'œufs sévit dans le pays et, si élevée que soit votre produc-tion, nous lui trouverons sans mal des débouchés. Le prix a été fixé ; vous savez donc que vous aurez un bon revenu. Avec chaque œuf que pondent vos poules heureuses, vous aiderez l'État. De même que vous aiderez l'armée. Savez-vous que nous espérons atteindre à l'autosuffisance? Nous ne voulons plus dépendre de personne pour notre alimentation. Vous serez une héroïne de la patrie si vous augmentez votre production d'œufs.

– Je n'aime pas l'idée que la patrie dépend de moi et de mes poules pour atteindre cet objectif mais moi, je dépends de la vente des œufs pour nourrir ma famille. Bien sûr, je serais ravie d'augmenter notre production d'œufs, pour l'État et pour moi.

– Allons, madame! Vous en avez mis au moins deux douzaines dans cette boîte. C'est beaucoup trop!

– Non, non, je veux que vous sachiez que mes œufs sont bons. Vous allez pouvoir en manger à la coque, en omelette, et il en restera encore pour faire un gâteau.

– Merci, madame, ma femme et moi y sommes très sensibles. Je suis sûr que nous allons nous régaler.

Je savais que ce contrôleur de l'Office percevait en nature dans toutes les fermes qu'il visitait. C'était logique. Avec toutes les victuailles qu'il récoltait quotidiennement, il allait bientôt avoir besoin de nouveaux vêtements! Tout le monde lui versait des dessous-de-table, surtout depuis que l'histoire d'un fermier éjecté de son exploitation avait fait le tour du pays.

Une fois le contrôleur parti, j'allai au poulailler pour mettre Nathanael au courant de ce qu'il avait dit. Il était le seul adulte à qui je pouvais m'ouvrir en confiance. N'était-il pas un peu mon prisonnier? Je savais qu'il ne me trahirait pas si je manquais d'enthousiasme à propos de tel ou tel règlement. Il n'y avait que lui auquel je pouvais dire ce que je pensais.

– On va devoir améliorer cette volaille, Nathanael. Es-tu prêt à m'aider?

– Que faudra-t-il que je fasse?

– Je vais t'apprendre à l'examiner. Étant donné que j'ai augmenté le nombre d'oiseaux l'année dernière, j'en ai plus à contrôler et tu peux m'y aider. Tu vois celle-ci?

Avec le croc, je saisis une bestiole; je la tirai vers moi et l'attrapai d'un geste vif. En la maintenant dans la paume de ma main, je la palpai de haut en bas, estimai son poids, et contrôlai son anus; vingt secondes plus tard, je la reposai sur le sol.

– Celle-ci est impeccable, dis-je.

– Eh, minute! Qu'est-ce que tu as fait? Tu ne m'as rien montré. Et je ne sais toujours pas comment tu arrives à les attraper.

– Ah! Nathanael! J'oublie toujours que tu m'es tombé de la lune… Regarde: tu l'attrapes par une aile, tu passes la main entre ses pattes, comme ceci, et tu la soulèves.

Nathanael tenta maladroitement d'imiter mes gestes et les poules effarées filèrent à l'autre bout de leur logis. J'en attrapai une autre avec le croc qui lui encercla les pattes, et repris ma démonstration. Je n'étais pas un professeur bien fameux car, pour moi, c'était comme si je devais apprendre à quelqu'un comment s'asseoir: il suffit de le faire et on apprend. J'étais ahurie de l'ignorance totale de Nathanael de ce qu'il appelait «vos trucs agricoles».

– Nathanael, j'ai peur que les poules terrifiées

n'aient cessé de pondre avant que tu aies appris à les attraper. Qui a le plus peur : elles ou toi ?

– Écoute, va t'occuper de tes affaires et moi je vais apprendre à attraper mes copines.

De fait, Nathanael apprit comment s'emparer des oiseaux et les examiner, et ce fut lui qui attira mon attention sur l'un d'eux qui était malade. Heureusement, je pus m'en défaire avant que les autres n'aient attrapé son mal. Grâce au contrôle, un travail fastidieux dont Nathanael se chargeait désormais, je pouvais sélectionner pour la vente les seules volailles dont nous ne voulions pas pour la reproduction. Il nous fallait être très minutieux pour préserver la qualité. Nous ne voulions pas d'oiseaux difformes, nous ne voulions pas de mauvaises pondeuses et nous ne voulions pas de simples pensionnaires :

– Un pensionnaire dans le poulailler, ça suffit ! dis-je à Nathanael.

Nathanael éprouvait des sentiments très particuliers pour ses coturnes, ainsi qu'il désignait ses camarades de poulailler. Il avait ses favoris, qu'il chérissait et qu'il régalait des miettes qui restaient accrochées à ses vêtements après ses repas. Il laissait les poulettes grimper sur sa poitrine et picorer les minuscules débris qui tombaient lorsqu'il mangeait. Un jour, en regardant par la fenêtre, je le vis si parfaitement immobile qu'un poussin explorait sa barbe à la recherche de miettes. Nathanael s'emparait souvent d'un poussin qu'il cajolait du bout des doigts ; à mon avis, le poussin n'appréciait pas tellement le traitement mais, venant de Nathanael, il le tolérait. Ayant appris à se saisir des volatiles, Nathanael noua avec eux des relations plus familières. Il s'affairait au milieu d'eux, les observait avec attention et les épiait. Un jour, dans sa cachette sous le plancher, je découvris une poule. Je demandai à Nathanael pourquoi il l'avait mise là et il répondit qu'il voulait la protéger. J'eus vite fait de comprendre : la poule décharnée, ramenée du fond de la cachette, avait les pattes arquées et un plumage suspect. Elle était bonne pour le marché mais Nathanael s'était attaché à elle et n'entendait pas la laisser partir.

– Nathanael, mais que vais-je faire de toi ?

– Je suis ton esclave.

– Nathanael, soyons sérieux. Tu ne peux pas te mettre en travers de ce que je fais. Tu sais combien nous payons pour les aliments. Tu sais que le type de l'Office va revenir faire le décompte des œufs. Et que nous sommes censés améliorer la volaille. Combien d'autres en as-tu caché ?

– Comment vas-tu me punir si tu l'apprends ?

Nathanael savait trop bien s'y prendre avec moi. J'étais toujours libre de lui dire de partir. Enfin... en principe. M'adresser à lui comme s'il était aussi libre que moi, c'était m'attirer cette réponse destinée à me rappeler son extrême dépendance à mon égard. Il ne savait pas vraiment, ni moi non plus d'ailleurs, à quel point je dépendais de lui. Je n'avais pas jugé bon d'étudier l'un et l'autre aspects de la question. Dans mon lit, certaines nuits, je désirais que Nathanael fût près de moi. Je pensais à lui au fond de son poulailler. En sécurité, d'accord, mais au prix de quel inconfort. Le temps approchait où les enfants partiraient pour leur année de travail civique et j'y pensais aussi.

Je pris la poule que Nathanael avait cachée et l'enfermai dans la cage pour l'isoler jusqu'au prochain marché.

Lors de ma première apparition au marché, une femme s'était spontanément présentée à moi. Elle était la déléguée de l'Association des agricultrices, m'avait-elle déclaré, avant de me demander si je voulais y adhérer. J'avais dit non, ce qui la surprit beaucoup, à croire qu'il s'agissait du premier refus qu'elle essuyait. Néanmoins, elle avait insisté, disant que je recevrais de l'association un soutien et des renseignements très utiles, mais j'avais persisté dans mon refus. Depuis, chaque fois qu'elle me dénichait, elle essayait de me vendre un journal que je ne lui achetais pas, disant que je n'avais pas le temps de le lire. Un jour, elle se vexa : ce journal contenait des informations et je devais prendre le temps de le lire pour mieux gérer mon exploitation. Je la suivis des yeux pendant qu'elle circulait entre les marchands : apparemment, son journal se vendait bien et la plupart des forains lui en prenaient un.

Dès son arrivée le mois suivant, le type de l'Office de l'agriculture sortit la fiche de l'exploitation et me demanda ma carte de travail. Je la lui tendis et il l'examina des deux côtés avant de lever vers moi un regard interrogateur, comme s'il était sûr qu'elle était incomplète.

– Il doit y avoir une erreur sur votre carte. Je n'y trouve pas votre inscription à l'Association des agricultrices.

– Non, dis-je, ce n'est pas une erreur. Je ne fais pas partie de cette association.

Cette fois, il était scandalisé. Les yeux écarquillés, il objecta :

– Mais une femme ne peut pas travailler dans une ferme sans appartenir à l'Association des agricultrices ! Comment voulez-vous savoir ce qu'on attend des exploitants ? C'est la seule façon dont vous pouvez remplir votre devoir d'agricultrice.

– Je pense avoir bien fait mon devoir jusqu'à présent, dis-je.

Je n'avais pas l'intention de discuter avec lui mais je ne voulais pas non plus m'inscrire à cette association. Sans élever la voix, j'exprimai simplement mes vrais sentiments.

– Mais vous n'avez rien compris ! Les agricultrices font partie de cette association. C'est aussi simple que ça. Si vous ne vous inscrivez pas, la déléguée de l'Association des agricultrices devra signaler qu'une exploitante de son secteur refuse de s'inscrire. Elle sera réprimandée par ses supérieurs et tout notre district sera considéré avec suspicion. Vous-même aurez de nouvelles difficultés. La prochaine fois que je viendrai renouveler le contrat aliments, je devrai peut-être relever vos tarifs, ou diminuer votre allocation. Je sais que vous ne le voulez pas. Si je ne le fais pas, mon supérieur me demandera pourquoi j'ai accordé des tarifs préférentiels à une exploitante qui juge bon de ne pas appartenir à l'Association des agricultrices. Vos enfants, qui ont tant peiné pour atteindre leur grade dans la Jugend, verront leur position menacée si leur mère, en s'abstenant de se joindre à l'ensemble de ses collègues, néglige de soutenir la politique de l'État.

Voyez quelle serait l'étendue des dégâts si vous vous absteniez d'adhérer.

Cet exposé détaillé m'apprit que je n'avais pas d'autre choix ; en fait, c'était une obligation.

Le samedi suivant, je vis la femme au marché et je m'inscrivis.

Bien entendu, c'était le début d'autres obligations qui m'incombaient en tant que membre car je devais de surcroît me comporter comme un bon membre. Autrement dit, acheter le journal chaque fois qu'on me le proposait, même si c'était déjà chose faite. Payer la cotisation, et cela en temps voulu. Où cela s'arrêterait-il ?

Le jour où la femme du marché m'annonça que je pouvais bénéficier d'une démonstration culinaire sur la façon d'offrir à ma famille un régime équilibré, je répondis que j'étais très désireuse d'y assister et souhaitais ardemment apprendre comment proposer de tels repas aux miens. Hélas, si je ne rentrais pas chez moi en temps voulu pour m'occuper de mon exploitation, je serais dans l'incapacité de continuer à verser la cotisation. Avec la même politesse extrême, elle assura comprendre que je n'étais pas organisée pour me ménager cette pause et que, peut-être, j'étudierais comment trouver le temps le mois prochain quand cette démonstration aurait lieu de nouveau. Peut-être, suggéra-t-elle, pourrais-je engager quelqu'un qui se chargerait du travail que je ne pourrais faire en assistant à la démonstration. Rien ne saurait me faire plus plaisir, répondis-je. Je ferais tout mon possible pour que ma famille bénéficie d'une meilleure alimentation.

Faire tourner l'exploitation devenait épuisant; le travail n'était pas plus difficile mais les exigences qui pesaient sur moi se multipliaient.

À ce moment-là, Karl préparait un concours organisé par la Jugend. Il avait imaginé une étude expérimentale relative aux poulets. Un important contingent de poussins avait éclos en janvier et Karl voulait marquer la moitié d'entre eux, auxquels on administrerait une fois par semaine quelques gouttes d'huile de foie de morue pour voir s'ils survivraient plus nombreux au premier âge que les poussins qui n'en auraient pas reçu. Naturellement, ce fut à moi de réaliser l'expérience car mon fils avait par ailleurs de nombreuses obligations et, de toute façon, c'était moi qui m'occupais des poussins. Karl ne s'intéressait pas vraiment à l'expérience en soi, il voulait simplement se présenter au concours.

Nous avions cette année-là environ trente poussins nés vivants. Avec l'encre de Chine que Karl me fournit, je marquai la moitié des poussins d'un x à la palmure de l'aile et leur administrai de l'huile de foie de morue qu'il me procura. Je n'avais jamais été partisan de donner des suppléments aux poussins. Avant Nathanael, je mélangeais toujours les restes de nos repas à la nourriture des poulets mais, depuis Nathanael, il n'y avait plus jamais de restes, si ce n'est quelques os. Même les épluchures et les rognures que je jetais autrefois, je les gardais pour la soupe. Au bout de six mois, l'expérience huile de foie de morue se solda ainsi : quand les nouvelles poulettes furent prêtes à pondre, nous en avions onze vivantes; en contrôlant les marques x, je vis qu'il en restait cinq.

Les autres avaient été éliminées pour une raison ou pour une autre.

Karl fut content de son étude, qui n'avait pourtant pas abouti à des résultats concluants concernant l'huile de foie de morue. Je lui proposai de la poursuivre en donnant de l'huile aux poulettes marquées *x* pour voir si le traitement améliorerait leur ponte ; il me dit que non. Je lui fis remarquer que je devrais obtenir le prix du concours, mais, en fait, j'avais fait le travail pour que Karl n'ait pas à entrer dans le poulailler.

Le marché était toujours une source de rumeurs et le baromètre de l'humeur du village. Même moi, qui ne faisais guère d'efforts pour me rendre agréable et avais pu donner l'impression d'être distante ou mal lunée, j'avais vent des dernières nouvelles qui se propageaient de bouche à oreille.

Un jour, en revenant du marché, j'entrai au poulailler sans penser à fredonner, tant les bruits qui couraient m'avaient troublée.

– Nathanael, tu sais ce qu'on raconte au marché ? J'ai entendu dire qu'un agriculteur, propriétaire de la terre qu'il travaille de l'autre côté du village, a dû quitter son exploitation parce qu'il ne pouvait pas maintenir son quota de lait. As-tu jamais entendu parler d'une chose pareille ? L'Office de l'agriculture lui avait fixé la quantité qu'il devait livrer mais il a continué d'en garder un peu pour faire du beurre, un peu pour arrondir ses fins de mois et un peu pour sa consommation personnelle. Il a d'abord reçu un avertissement et, ensuite, ils ont réquisitionné sa ferme. Maintenant, il vit en ville et il espère trouver un poste dans une usine. Ils disent qu'ils l'ont fait à titre d'exemple. Pour nous montrer ce qui arrivera si nous n'obéissons pas au contrôleur de l'Office. Si jamais nous perdons la ferme, nous n'y survivrons pas. Et toi, que deviendrais-tu?

– L'étau se resserre tous les jours, mon Eva. Bien que tu vives comme un ermite, tu n'as aucun moyen d'échapper au système. Tu penses qu'il ne s'agit que des Juifs? Des gens qui vivent très loin dans les villes? Des gens qui réfléchissent à la politique? Non, c'est désormais la vie telle qu'on la vit dans ce pays. Il se peut qu'ils te donnent une raison quand ils te retireront ta ferme, mais elle n'aura rien à voir avec toi et tu seras dans l'incapacité de les en empêcher. Tu as de la chance que la population ait encore besoin d'œufs.

– Mais si je n'arrive pas à obtenir de ces poules qu'elles pondent assez? Si on ne m'autorise plus à vendre au marché? Perdre la ferme, ce serait comme perdre ma famille. Je ne connais que les travaux agricoles et la vie à la campagne. Tu vois bien comment tu réagis ici: c'est tout juste si tu arrives à conserver ton bon sens! Les rythmes de mon corps, de mon cerveau et de mes muscles sont ceux d'une paysanne. Pour moi, ce n'est pas une épreuve de puiser l'eau cinquante fois par jour. De père en fils, les paysans labourent la terre, ils sèment, puis ils attendent la pluie. Si la pluie ne vient pas, ils bougonnent en silence et, l'année suivante, ils recommencent. Nous vivons avec les animaux et les plantes qui poussent, nous en prenons soin mais nous ne pouvons pas communiquer avec eux. Nous passons notre temps à ne rien pouvoir contrôler, mais nous y sommes habitués. Nous soignons les porcelets comme des bébés, puis nous nous léchons les doigts quand le jus de saucisse nous dégouline sur le menton. Pour nous, tout ça a un sens. Nous devons garder l'exploitation ou nous mourrons. Hans n'oublierait jamais un tel déshonneur.

Quand j'évoquai mon mari, Nathanael lâcha ma main et s'écarta de moi. Nous ne parlions jamais de Hans, même si j'aurais aimé parfois dire à Nathanael ce que j'éprouvais. L'idée que mon mari puisse revenir le troublait. Il sentait que sa place dans ma vie était temporaire et que Hans la lui reprendrait un jour. Je savais que c'était faux. Même si je m'attendais à ce que mon mari revienne un jour, je savais que notre vie ne serait jamais plus comme avant. Même si Nathanael sortait de mon existence, je ne pouvais pas imaginer de coucher de nouveau avec mon mari. Je ne voulais pas discuter du départ éventuel de Nathanael. Nous ne perdions pas notre temps à spéculer sur l'avenir.

6

Un matin, alors que je puisais de l'eau, j'aperçus une femme du marché sur la route. Cela me surprit car, à l'exception des gens qui venaient chez nous ou à la ferme voisine, il était rare d'y voir passer du monde. Cette route conduisait au village mais il y en avait une autre plus directe, plus commode et moins souvent inondée. Je reconnus la femme, une vraie commère qui sillonnait le marché en bavardant avec tout le monde, avide de racontars et plus pressée encore de les propager sur son chemin. Elle avait la parole facile, l'art d'engager la conversation sans cérémonies et ne semblait jamais à court de sujets.

Il y avait gros à parier qu'elle venait me rendre visite. Je n'en montrai rien, bien sûr, mais cette femme me faisait peur : rien qu'à me voir tirer de l'eau du puits, elle est capable d'inventer des potins, pensais-je.

– Bien le bonjour ! dit-elle d'un ton enjoué en entrant dans la basse-cour.

– Bonjour à vous, répondis-je aussi chaleureusement que je pus.

Décidée à être complaisante, je savais d'instinct que je ne pourrais que lui mentir.

– Ma pauvre amie, on dirait bien que vos enfants vous ont laissé la corvée d'eau !

– Mais non, c'est moi qui les ai houspillés pour qu'ils soient à l'heure en classe, une fois leur besogne terminée. Ils font beaucoup pour moi depuis que mon mari est à l'armée. Ils en font plus que leur part et ils voudraient aussi puiser l'eau. Je leur ai dit que j'en étais tout à fait capable et que j'en puiserai assez pour leur soupe de ce soir. Bien sûr, ils ne seront pas forcément à l'heure pour le dîner. Ils ont souvent des activités supplémentaires avec les H.J., pour préparer un exposé ou une manifestation. Je prévois qu'il faudra réchauffer la soupe ce soir; ils rentreront tard. Les enfants d'aujourd'hui sont très actifs et très dévoués, ajoutai-je, ahurie de me trouver si expansive.

– Certainement, ma chère, ils sont très occupés. Et nous le sommes nous aussi, vous ne trouvez pas?

– Bien sûr que si, et c'est merveilleux. Nous faisons notre petit possible pour que la vie reste normale pendant que nos maris se sacrifient pour notre pays. Que deviendrions-nous sans eux? Franchement, je n'en sais rien.

– Je suis tout à fait d'accord avec vous, ma chère.

L'idée me vint subitement que cette femme était venue en quête d'échantillons gratuits et je la priai d'attendre, le temps que j'aille au poulailler chercher quelques œufs frais, espérant qu'il y en aurait. Je chantonnais peut-être un peu plus fort que d'habitude en approchant du poulailler où je dénichai une demi-douzaine d'œufs que je rapportai pour elle dans un panier. Elle commença par faire mille embarras mais, après quelques minutes, accepta de les prendre et annonça qu'elle me rendrait le panier au marché le samedi suivant. Je l'en remerciai et lui dis combien je souhaitais qu'elle apprécie les œufs et se porte bien jusqu'à notre prochaine rencontre. À son tour, elle me remercia hâtivement de mes vœux; elle était très pressée et devait absolument partir. Était-elle sûre de ne pas vouloir s'asseoir un instant avec moi devant une tasse de café et des biscuits? Heureusement, elle fut formelle : elle devait partir. Nous recommençâmes nos adieux et je la suivis du regard tandis qu'elle reprenait le chemin du village.

Lorsque je revis cette femme au marché, elle me rendit mon panier vide et me montra une invitation à une réunion des vendeurs du marché. Je la remerciai de m'en avoir avertie et tentai de m'éloigner. Mais elle me demanda si j'avais l'intention d'assister à cette réunion. Je répondis que j'y serais. Parfait, me dit-elle, nous nous y verrons.

Je n'avais pas la moindre intention d'assister à une réunion quelle qu'elle soit. Je n'en avais ni le temps ni l'envie. Le jour du marché qui suivit celui de la réunion, cette femme diabolique s'arrêta devant mon étal sur la place pour me dire combien elle avait espéré me voir à cette réunion si utile; mais elle m'avait vainement cherchée parmi l'assistance. Je reconnus que j'avais été dans l'impossibilité de m'y rendre. J'avais pourtant réservé mon temps pour cette occasion que j'attendais avec impatience depuis qu'elle m'avait montré l'invitation mais, au dernier moment, on nous avait livré des aliments; j'avais dû rester à l'étable pour mélanger la pâtée pour les poulets et il m'avait été impossible de tout laisser en plan. J'espérais qu'une autre séance aurait bientôt lieu, à laquelle je pourrais participer pour perfectionner ma pratique de la vente. Elle répondit qu'elle comprenait très bien : il arrive souvent qu'un imprévu de dernière minute se mette en travers de nos projets. En effet, une autre réunion était prévue où je serais la bienvenue si je pouvais m'arranger pour y assister. Elle tira de sa poche une autre invitation et je l'assurai que j'allais me débrouiller pour y participer. Elle espérait bien m'y voir, conclut-elle.

Les choses ne pouvaient pas continuer ainsi et, pour me débarrasser de cette femme envahissante, je décidai d'assister à la réunion. Je revins au village exprès et me rendis dans le hall de l'école où la séance était prévue. Sitôt arrivée, je cherchai des yeux la femme diabolique pour bien lui montrer que j'étais là. En fait, il me fallut attendre l'ouverture de la séance pour la découvrir sur la petite estrade, parmi les quatre personnes qui faisaient face à un public restreint. Je m'avançai vers les sièges des premiers rangs et m'assis. Quelques marchandes foraines de ma connaissance se trouvaient dans l'assistance. Je les saluai d'un signe de tête et elles me rendirent mon salut, tout ébahies de me voir là. Le sujet de la réunion reprenait la campagne «le Sang et la Terre» que l'État avait développée ces dernières années. Je n'avais jamais prêté grande attention à ce slogan, ni à ce qu'il signifiait en général et pour moi en particulier, mais je fus forcée pendant l'heure qui suivit d'écouter les trois orateurs dont les discours, préparés à notre intention, tournaient autour de ce sujet. Il en ressortait que les agricultrices, nous toutes dans la salle, constituaient l'épine dorsale du pays et qu'il était de leur responsabilité de maintenir la pureté du sang dans notre patrie. Notre sang devait se perpétuer dans nos enfants qui, eux-mêmes, auraient à transmettre cette pureté jusqu'à ce que ne demeurent que des êtres humains purs et sans souillure. De même, nous devions fournir au reste du pays les denrées qui lui étaient nécessaires. Notre patrie était trop fière pour continuer de dépendre des producteurs étrangers pour nous fournir nos aliments ou le fourrage pour notre bétail. À nous de produire selon nos besoins. Nous avions déjà accru notre autosuffisance qui atteignait presque quatre-vingts pour cent et nous continuerions dans cette voie jusqu'à ce que nous n'ayons plus jamais à acheter à un pays étranger une denrée essentielle. Conclusion : nous, les agricultrices, portions la patrie tout entière sur nos épaules ; nous mettions au monde ses bébés et nous la nourrissions.

Une sacrée responsabilité ! Je sortis de la réunion tout abrutie d'avoir entendu le même message ressassé par trois personnes, dont la femme qui était venue à la ferme. Quand je revins chez moi, comme les enfants n'étaient pas rentrés de leurs activités des H.J., je fis un détour par le poulailler, bien que ce ne fût pas dans mes habitudes de déranger les poulets qui, à cette heure, étaient déjà sur le perchoir. J'entrai sans fredonner et ils n'accoururent pas à mes devants. En revanche, Nathanael s'élança, ses mains m'accueillirent dans l'obscurité et nous nous étreignîmes. Ses baisers m'étaient doux, ils m'étaient si familiers désormais que leur chaleur me nourrissait. Je me tournai vers lui et lui racontai brièvement ce qui s'était dit à cette séance, puis nous nous étendîmes ensemble sur sa couverture.

– Je suis abasourdie de ce que je viens d'entendre, lui dis-je.

– Tu as vécu une existence protégée, mon Eva. Tu as peiné si dur à puiser l'eau, nourrir les bêtes, frotter la lessive, guetter le ciel et entretenir ta ferme que cette philosophie ne t'a pas effleurée. Mais elle a enflammé la nation tout entière. Tout passe par votre sang. Tu as un sang pur. Moi pas.

– Tu comprends ça, Nathanael ?

– Bien sûr, je comprends ! Je serais un crétin si je n'avais pas encore compris. Je ne suis rigoureusement rien dans ce pays. Je ne peux pas faire d'études, je ne peux ni acheter, ni vendre, ni fabriquer, ni travailler, je ne peux rien faire. J'ai été prié sans trop d'égards de le quitter. Telle était d'ailleurs mon intention quand je me suis réfugié dans ce poulailler. Peut-être est-il temps pour moi de reprendre cette marche interrompue.

La conversation avait pris un tour que je n'aimais pas. Je me tus. Nous sommes restés encore un moment allongés, sans parler. Puis je me suis levée pour rentrer sans hâte à la maison.

7

Pour moi, les moments les plus paisibles étaient les samedis et dimanches où Karl et Olga partaient en randonnée dans la montagne. J'étais moins secondée, mais leur aide était si mince qu'elle ne me manquait pas vraiment. Leurs programmes des H.J. passaient avant tout et ils ne travaillaient pour la ferme que lorsque ça les arrangeait. Pendant ces fins de semaine, je me permettais de passer plus de temps avec Nathanael qui accueillait toujours mes visites par des caresses, des baisers et autres ébats amoureux. Nous avions le loisir de bavarder avant de nous étreindre, puis de prendre notre plaisir ensemble. Pour la première fois de ma vie, je remettais les corvées à plus tard pour rechercher ma propre satisfaction.

Les enfants rentraient toujours très exaltés de leurs randonnées. Ils racontaient avec exubérance ce qu'ils avaient vu et les sujets dont ils avaient débattu. Après une de ces excursions, mon fils me dit avoir contemplé la frontière suisse du sommet d'une montagne qu'il avait escaladée et je frémis, moi aussi, d'excitation. Depuis mon enfance, j'entendais dire que nous vivions très près de cette frontière mais je n'avais jamais imaginé qu'à pied on pouvait l'atteindre en quelques jours. Je questionnai mon fils qui m'expliqua où il était allé et comment il avait tenu le cap en se dirigeant à l'aide d'une boussole. Il alla chercher sa boussole dans sa chambre et m'expliqua sommairement comment ça marchait. Il était très fier de savoir comment utiliser son instrument et se rengorgeait de connaître une chose que j'ignorais. Il m'apprit d'une seule traite ce que j'avais besoin de savoir : la Suisse est située au sud de chez nous et il suffit de traverser la Forêt-Noire pour y parvenir ; en se réglant sur la boussole et en progressant toujours vers le sud ou le sud-ouest, on arrive forcément en Suisse.

– J'aimerais que tu les voies, maman, que tu voies ces montagnes. C'est vrai qu'elles sont noires, à cause des arbres sous lesquels la lumière ne pénètre jamais, et si tu lèves les yeux, les arbres sont si hauts que pas une échelle n'atteindrait leur sommet. Quand tu essaies d'y entrer, tu te trouves coincé de tous côtés par leurs branches qui s'entrelacent et forment une barrière impénétrable qui t'interdit de passer. Elles sont comme les haies d'une course d'obstacles : dès que tu as franchi la branche qui est devant toi, tu butes aussitôt sur une autre. C'est un rempart astucieux de branches d'arbres. D'après notre chef, elles sont «diaboliques». Il faut que tu te transformes en serpent et que tu rampes sur le ventre, en ondulant sous les branches. Alors tu découvres les racines de ces arbres incroyables. Grosses comme le bras, elles ont l'air de serpents qui jaillissent du sol et s'enchevêtrent comme les mailles d'un filet pour t'empêcher de passer. Comme si la forêt refusait qu'on y pénètre. Si tu savais, maman, le froid qu'il fait dans cette forêt. Ahurissant… Dieu sait qu'il faisait chaud dimanche et pourtant on a dû enfiler un chandail dès qu'on est entrés sous les arbres. La température semble tomber subitement de dix degrés. On dirait un froid d'église, un froid permanent que rien ne pourra jamais réchauffer, ni la nature, ni les hommes. Mais il y a pis encore. Il y a une présence dans la forêt, maman, une présence sinistre. Elle nous a suivis partout où nous sommes allés, jusqu'à ce que nous ayons atteint le sommet de la montagne d'où l'on voit la Suisse. Dans la forêt, on a tous senti nettement cette présence, la présence du mal. Elle nous a frappés; elle semblait nous poursuivre quand nous marchions. On l'a tous ressentie et, bien qu'il soit difficile de progresser dans la forêt autrement qu'en file indienne, on se cramponnait les uns aux autres. Mais tu seras fière d'apprendre qu'au bout d'une nuit et d'un jour, moi, ton fils, j'ai réussi à m'accoutumer à elle. J'ai réussi à me sentir tranquille. D'autres ont dû faire demi-tour; ils étaient si terrifiés qu'ils n'ont pas pu terminer la randonnée. Mais moi, ton fils, j'ai vaincu le mal. Es-tu fier de moi, maman?

– Bien sûr, mon fils, ce que tu me racontes est remarquable. J'aimerais avoir, moi aussi, l'occasion de voir tout ce que tu as vu et de faire ce que tu as fait. Pour un garçon de ton âge, tu as connu des tas d'expériences.

– Quand on était couchés par terre, moitié sur les racines dures et entortillées et moitié sur des couches d'aiguilles, si douces et si épaisses qu'on avait l'impression de reposer sur des siècles d'aiguilles, il faisait nuit noire, pas la moindre lueur. Seul le parfum nous disait que les sapins étaient toujours là. La nuit était tranquille, exagérément tranquille, et j'ai pensé à papa. Peut-être que lui aussi dort quelque part dans une forêt, avec des aiguilles de sapin pour oreiller. Un jour, je prendrai sa place à l'armée, et il pourra revenir chez nous. Je crois que je suis fait pour son poste et que lui est fait pour l'exploitation.

Je gardai longtemps en moi la vision que m'avait décrite Karl. J'imaginais les arbres élancés et la forêt terrifiante, solitaire et mystérieuse. Je lui demandai si sa patrouille avait l'intention d'y retourner.

– Oui, on va y retourner voir si on peut retrouver la piste qu'on a tracée la première fois.

– Mais de quoi parles-tu? Comment pourrait-il y avoir une piste dans cette forêt?

– On l'a faite nous-mêmes, avec des marques spéciales sur les arbres pour pouvoir retrouver notre chemin au retour. Cette fois, on aura pour mission de retrouver la piste, la parcourir de nouveau et peut-être la prolonger. On avait tous emporté avec nous une canne longue de un mètre et, en l'utilisant comme mesure, on a coupé une petite entaille dans les troncs d'arbre à cette hauteur, à intervalles réguliers. Quand on y reviendra, on n'aura plus qu'à chercher les entailles dans les arbres. Ça sera une randonnée splendide. Maman, est-ce que je t'ai parlé du vent? Je me demande s'il y en aura encore. Dans l'obscurité, sous les énormes troncs qui rivalisent de hauteur pour atteindre la lumière, le bruit incessant du vent semble celui d'un typhon qui meugle et hurle entre les arbres. Nous, les vaillants artisans de pistes dans les bois, étions muets de stupeur. Quand on entend le vent lointain qui approche, on ne peut que s'immobi-

126

liser sur la piste et lever les yeux, en s'arc-boutant contre ce souffle puissant, capable de nous jeter au sol. Mais non, ce vent ne joue pas avec nous, simples brindilles d'humanité. Debout sous les arbres géants, on le voit secouer les hautes branches des sapins, mener contre les fûts son assaut violent. On pense à l'image du vent du Nord aux joues gonflées, un nuage pansu soufflant de toute sa puissance contre les arbres insignifiants. Nous étions là, pétrifiés, regardant passer au-dessus de nous le vent qui défiait les arbres, déchaînant contre eux sa volonté de puissance… J'ai écrit une histoire là-dessus, pour le journal des H.J. Mon histoire dit comment nous arriverons à être aussi forts et résistants que les arbres, surtout quand nous serons groupés et unis comme ils le sont dans la forêt, chacun soutenant tous les autres contre le vent mauvais.

– Eh bien, en voilà une surprise! Je suis très impatiente de lire cette histoire, mon garçon.

– Merci, maman.

Je songeais à mon fils en train de tracer la piste dans la montagne, entaillant les arbres pour qu'un autre, après lui, puisse la retrouver. Karl allait conduire Nathanael en lieu sûr. Mais quand? Dès le début, il était entendu que Nathanael partirait un jour. Ici, il courait un danger permanent et nous aussi. Personne ne peut vivre indéfiniment dans un poulailler. Il fallait bien que cela cesse un jour.

8

Quand je pense à ces années, je vois quelles étaient mes limites. J'étais encore en train d'apprendre la tendresse. J'étais une femme ployée sur son travail et sur sa vie, qui ne s'apitoyait jamais sur elle-même. Qui ne rêvait pas d'avoir davantage, ni de connaître un sort différent. Cette femme était étrangère à elle-même autant qu'à son entourage. Elle travaillait, elle dormait; tout s'arrêtait là. Elle ne se voyait pas abattant moins d'ouvrage, elle ne songeait ni à se révolter, ni à se plaindre. Se plaindre aurait voulu dire qu'il existait une autre possibilité. Or, il n'y en avait pas. Le plus désolant c'est qu'elle croyait avoir de la chance de trimer ainsi sa vie durant; elle n'avait pas l'impression d'être surmenée, du moins, pas de l'être injustement.

Je la regarde – la vieille Eva de ma jeunesse –, je la regarde traverser la cour de ferme mille fois par jour, exécuter quotidiennement les mêmes besognes comme si elle était poussée par la course du soleil plutôt que par des nécessités humaines. Celle que j'étais n'était pas en quête de ce que j'appellerais aujourd'hui le bonheur. Elle survivait. Ses parents – mes parents – avaient assuré son avenir quand ils lui avaient trouvé un mari, se libérant ainsi d'un souci, ou plutôt le lui transmettant. Je sentais que je devais contribuer à soulager les autres de leur responsabilité à mon égard. Cette femme avait passé des années à payer son droit à l'existence comme une esclave du monde où elle s'excusait d'être née, où son travail qui lui valait le maintien de la permission d'exister ne lui permettrait jamais d'acheter sa liberté. Pour elle, ce n'était pas tragique, c'était normal. Ce n'était pas un tyran étranger qui fixait les travaux qu'elle avait à faire mais la nature elle-même qui les lui fournissait. Les mauvaises herbes proliféraient, les vaches devaient être traites, les poulets nourris, les enfants soignés, et tous se développaient à partir de leur bon état naturel. Elle allait au puits sans penser que l'eau peut arriver par des conduites; elle menait les chevaux aux champs et l'idée ne lui venait pas qu'un tracteur pourrait simplifier le travail dur et fastidieux des labours. Ces progrès n'avaient pas leur place dans sa vie. Ils avaient été conçus pour les privilégiés et elle ne s'était jamais considérée de cette catégorie. Quand je songe à la fierté avec laquelle elle s'acquittait chaque jour de sa dette envers le monde pour y être tolérée un jour de plus, je comprends qu'elle n'était qu'une coquille, vide de ce qui est proprement humain. Elle n'entamait rien sous le coup d'une idée, d'un désir, d'un souhait. Tous ses actes étaient voués à l'entretien de la ferme, non pas en vertu d'une opinion personnelle mais en fonction de la nature, de la nécessité. Les porcs sont nourris; s'ils ne le sont pas, ils font un vacarme insoutenable, comme les vaches dans l'attente de la traite ou les poulets dont la mangeoire et l'abreuvoir sont vides. Cette paysanne ne se demande pas s'il est l'heure d'alimenter les porcs; la question ne se pose pas. Elle ne se demande pas non plus si elle est faite pour mener cette vie-là, se plier à cette routine. Dans une exploitation, c'est la seule possible, celle qu'impose la nature. Personne n'est habitué à disposer d'un choix, prendre des décisions, évaluer plusieurs options et les comparer.

Une femme différente émergeait, on pourrait presque dire se détachait du personnage de la cultivatrice. Cette femme avait des idées, des désirs, une volonté. Telle était la différence. Le changement n'était pas immédiatement perceptible mais je savais qu'il survenait. Mes pensées, qui se réduisaient jusqu'alors à me rappeler ce que j'allais devoir faire juste après, je les entendais prendre dans ma tête la forme de dialogues. En remontant le seau du puits, en grattant les légumes du ragoût, je débattais avec moi de tel ou tel sujet. Je pensais à Nathanael. Je m'interrogeais. Quand je réalisai que le dissimuler dans le poulailler était une décision que je n'avais pas prise et que j'avais simplement laissé la chose se faire, j'en conclus que je l'avais désiré. Cela faisait maintenant presque un an et demi qu'il vivait là. Je me rendis compte alors que j'avais le pouvoir de décider si oui ou non il y resterait. Lentement, mon intelligence devenait plus concrète et ce que cela signifiait se clarifia. Je pouvais demander à Nathanael de partir et faire que son sort passe en d'autres mains. L'exaltation qui accompagna cette découverte dura longtemps.

Je commençais à prendre un peu de recul. Je continuais d'accomplir toutes mes besognes : aller au marché chaque semaine, livrer les œufs tous les deux jours, entretenir la maison, préparer les repas, nourrir les poulets, vaquer aux travaux de la ferme, mais il y avait peut-être quelque chose de plus. Tout en accomplissant les gestes liés à mes occupations routinières, je me concentrais sur une idée, comme il arrive avant Noël quand on rêve à la fête, tout en s'affairant à mille autres choses jusqu'à ce qu'arrive le jour. Pendant tout ce temps, on a pensé au menu, aux nappes à repasser, aux cadeaux, tout en menant à bien le train-train quotidien. Je prenais grand plaisir aux moments passés avec Nathanael. Je ne pensais pas que notre relation prendrait fin, ni de ma propre initiative ni du fait d'événements extérieurs. Le temps que nous passions ensemble était un élément nécessaire de ma journée, une partie intégrante de mon temps. De loin en loin, je pensais à mon mari quand arrivaient ses lettres où il me rappelait les différents travaux qu'il fallait faire. Il restait de longs moments sans écrire et ses courtes lettres reflétaient ses préoccupations à propos de la ferme qui ne devait pas tomber à l'abandon en son absence. Je savais combien il était embarrassé d'avoir à demander à un autre soldat d'écrire pour lui, si bien que je répondais seulement quand ça me semblait indispensable et de façon qu'il ne soit pas gêné quand un étranger lui lirait mes lettres.

J'avais pris l'habitude de discuter de certains sujets avec Nathanael, bien qu'il ne connût rien à l'agriculture. Il était intelligent, et le fait d'exposer un problème et ses différentes solutions possibles éclairaient pour moi la situation. Si je pouvais le présenter avec précision à Nathanael, je pourrais sans doute le résoudre. Nathanael m'aida au moment de l'éclosion d'hiver, quand les minuscules poussins réclament

énormément d'attention. Il est probable que sa présence dans le poulailler nous permit d'accroître la
volaille pour la saison suivante et nous tira de la sale
période de ponte insuffisante. Je parlai à Nathanael
des difficultés que rencontrait le couvent et de mes
efforts pour aider les sœurs. Il s'y intéressa, comme il
s'intéressait à tout ce que je lui racontais du monde
extérieur. D'habitude, il ne commentait guère mes
propos; il savait que je lui faisais simplement la
conversation, sans attendre de conseil et sans espérer
le tenir informé. En fait, j'étais sa seule distraction, la
seule personne à laquelle il parlait, la seule qu'il
voyait. Il attendait mes visites avec impatience et j'étais
sensible au plaisir qu'il en tirait, même quand je ne
faisais que rapporter les faits divers du marché. Je lui
racontais les propos des forains, les manœuvres de la
femme qui voulait m'attirer à ses réunions, le prix
auquel j'avais vendu mes œufs et il ne faisait jamais de
remarques. Si j'avais l'air contente, il semblait l'être
aussi. Il ne me questionnait pas sur les événements ou
sur ce que tel ou tel avait dit. Il ne me pressait jamais
de lui fournir des détails ou des renseignements. Je ne
lui ai pas parlé de la piste de mon fils dans la montagne mais je lui disais tout le reste.

Cette femme qui prenait forme avait des parte-
naires autres que Nathanael. J'avais affaire aux forains
du marché, à mes clientes, au type de l'Office de
l'agriculture, j'avais à prendre de nombreuses décisions concernant les poulets et les bêtes. Il y avait aussi
la question du couvent. Mon mode de relations avec
les religieuses n'avait pas varié. Sœur Karoline me faisait parvenir la boîte qui contenait l'argent et parfois

une nouvelle commande; je lui renvoyais la boîte pleine d'œufs. Mais les commandes augmentaient sans cesse. Les sœurs, qui consommaient jusque-là deux douzaines d'œufs, en demandaient à présent cinq ou six par semaine. C'était l'époque où l'on entendait parler de pénurie d'œufs dans les villes et, de fait, on voyait chaque semaine de nouveaux visages apparaître au marché, des gens qui ne cherchaient pas les prix avantageux mais des provisions. Ces nouveaux venus achetaient tout. Ils parlaient peu, acceptaient le premier prix annoncé et achetaient bien plus qu'ils ne pouvaient consommer. Un samedi, personne ne vint du couvent me remettre la boîte – en fait, il s'agissait désormais de trois boîtes – alors que j'avais mis de côté la commande habituelle de cinq douzaines. Une fois vendus mes deux poulets vivants et tous les autres œufs, y compris ceux qui étaient légèrement fêlés, je me rendis au couvent et tirai la cloche. Une toute petite sœur entrouvrit la porte et la referma aussitôt. J'attendis puis sonnai de nouveau et sœur Karoline, très agitée, me rejoignit enfin à la grille. Elle essuyait ses mains pleines de farine sur le torchon qui pendait à sa ceinture et, au lieu de m'inviter à entrer, elle me demanda pourquoi j'étais venue.

– Enfin, sœur Karoline, voilà presque un an que vous me commandez des œufs, de plus en plus chaque mois. Et aujourd'hui, sans que l'on m'ait prévenue, personne ne vient les chercher. J'ai cru que vous aviez oublié.

– Bien sûr, chère coquetière! Comment auriez-vous pu savoir? Nous avons de graves ennuis au couvent et personne n'a pensé aux provisions. Nos différends avec les autorités nous ont profondément perturbées. Nous ne pouvons pas accepter la politique de stérilisation, nous déplorons la baisse du nombre des mariages et nous avons l'impression que ces lois sont dirigées contre nous. Désormais, nous n'avons plus le droit de vendre notre terrain et il nous est interdit de diriger nos écoles. Pourquoi? Parce que nous ne prêterons pas serment de placer notre Führer au-dessus de notre Sauveur. Nos supérieurs eux-mêmes nous ont ordonné de préserver notre foi. Si les autorités ne nous respectent pas, nous devrons accepter notre châtiment. Il y a plus... Mais je n'ai pas le droit de vous accabler avec nos ennuis. Je vous en prie, attendez ici, je vais chercher l'argent pour les œufs.

Son discours m'avait troublée mais je ne croyais pas vraiment que c'était à cause de ces malheurs que sœur Karoline avait oublié d'envoyer prendre les œufs. Je suspectais qu'il se passait autre chose, mais quoi, je n'en savais rien, bien sûr. Alors que j'attendais devant la porte – une situation peu agréable mais je n'avais pas été priée d'entrer –, je levai les yeux vers les fenêtres du couvent et j'aperçus la petite sœur qui m'avait ouvert et qui, à présent, courait d'une pièce à l'autre. Puis je me rendis compte qu'il y avait des petites sœurs à chaque fenêtre, et parfois plusieurs à la même. Ces minces silhouettes drapées de noir qui galopaient derrière les fenêtres me firent froid dans le dos. Où avaient-elles bien pu trouver tant de nouvelles sœurs, dont personne ne m'avait parlé? Peut-être s'agissait-il des enfants dont les sœurs s'occupaient. Peut-être y avait-il un lien entre eux et les douzaines d'œufs que le couvent commandait. Si les religieuses devaient nourrir toutes ces bouches supplémentaires, alors oui, elles avaient besoin de beaucoup d'œufs!

Sœur Karoline revint avec l'argent; je lui remis les œufs que j'avais apportés et lui demandai si elle désirait que je lui en fournisse la semaine suivante. Oui, me dit-elle, et un ou deux poulets de surcroît, si je pouvais lui en procurer. Je promis de lui en garder deux, si j'en avais. Je proposai d'apporter les œufs et les poulets directement au couvent, ce qu'elle accepta.

9

Un matin, je fus incapable de sortir de mon lit. Je
soulevai la tête et tentai de poser les pieds par terre.
Mes jambes ne bougèrent pas d'un pouce et la tête
me tourna furieusement. J'essayai d'appeler à l'aide,
ma voix ne sortit pas. Finalement, Olga passa la tête
à la porte de ma chambre et me demanda si quelque
chose n'allait pas ; l'heure de s'occuper des vaches et
des poulets était largement passée. J'essayai de lui
répondre mais n'y parvins pas. Elle s'avança jusqu'à
mon lit, me demanda ce qui m'arrivait et, voyant mes
efforts infructueux pour soulever ma tête, elle
m'aida à m'asseoir dans mon lit. Je ne pouvais toujours pas bouger les jambes et doutais de pouvoir
parler.

– Maman, je t'en prie, dis quelque chose, tu me fais
peur. Tu es blanche comme un linge et tu as l'air si
bizarre. Qu'est-ce qui se passe ?

– Je... jeu... je euh...

J'étais dans l'incapacité d'émettre un son articulé
et ne savais pas ce qui m'arrivait.

– Karl ! Viens vite ! Maman est malade, elle ne peut
plus parler. Karl ! Je suis dans la chambre de maman.
Maman est malade...

– Eh bien, maman, qu'est-ce qui se passe ? C'est la

première fois de ma vie que je te vois malade. Où as-tu mal ? Tu veux que j'appelle le docteur ?

– Non, Karl, on ne va pas appeler le docteur, protesta Olga. Rappelle-toi l'histoire de ces gens qui l'ont fait venir. Il n'a rien pu faire mais il a quand même prononcé un diagnostic terrible. Rappelle-toi, ils leur ont pris leur ferme sous prétexte qu'ils avaient un malade.

– Allons, Olga, n'exagérons rien. Maman se sentira sûrement mieux quand elle aura pris son petit déjeuner. N'est-ce pas, maman ? On va te le préparer, te l'apporter ici et ensuite tu te sentiras beaucoup mieux. Je vais d'abord te chercher un oreiller pour te le mettre dans le dos et toi, tu restes tranquillement assise jusqu'à ce qu'on t'apporte ton café.

La façon dont mon fils avait pris les choses en main me surprit ; j'étais fière qu'il contrôle si bien la situation. Mais ce qu'avait dit Olga était vrai. Au village, j'avais entendu parler moi aussi d'épisodes semblables où le docteur, ignorant l'origine des malaises de son patient, avait prétendu qu'il était atteint de maux imprécis, tels que des vertiges, ce qui avait valu au malade la confiscation de sa ferme. Apparemment, les villageois pensaient que les docteurs étaient incompétents depuis l'entrée en vigueur des nouvelles lois, et que leur manque d'expérience et de compétence les obligeait à inventer des diagnostics. J'étais assise dans mon lit avec l'impression que ma tête était un chou gigantesque que j'avais du mal à tenir d'aplomb sur mon cou. Il oscillait sans trouver son équilibre. Quand les enfants remontèrent avec le café et le pain, j'y jetai un coup d'œil et, m'étant instinctivement penchée pour épargner les draps, je vomis sur le plateau. Les enfants furent aussi horrifiés que moi. Karl fit disparaître le plateau et Olga m'apporta de l'eau que je pus avaler par gorgées minuscules. Au bout de quelques minutes, je me sentis mieux. Je repris mes esprits presque aussitôt, mis les pieds par terre et me levai. Le vertige avait disparu et j'avais recouvré du même coup mes sens et ma voix. Je remerciai mes enfants de leurs soins et du petit déjeuner, bien que je n'aie pu l'avaler, et leur dis de partir pour la classe : je me sentais tout à fait d'aplomb et ma journée se passerait très bien, comme d'habitude. Ils avaient l'air plutôt sceptiques mais, voyant que je tenais sur mes jambes et commençais à m'habiller, ils partirent.

Plus tard ce jour-là, dans l'étable où j'avais nettoyé les stalles, je compris l'origine de mon étrange malaise matinal. J'étais enceinte. J'étais enceinte du bébé de Nathanael, de mon bébé. Notre bébé poussait en moi. Un accès de joie me submergea. Suivi d'un frisson glacial.

Je m'autorisai quelques jours de solitude avec notre bébé. Je n'en parlai pas aussitôt à Nathanael. Je me demandais d'ailleurs si je le lui dirais un jour, et quand. J'étais transportée. Il y avait si longtemps que mes deux bébés étaient nés que j'avais oublié ce sentiment. Je savais le sexe du bébé, c'était un garçon. Je sentais sa singularité, je le connaissais personnellement, il n'avait rien d'une abstraction dans mon corps. Non sans inquiétude, je pensais à l'avenir, l'avenir du bébé. Nathanael serait-il encore là, dans le poulailler ? Le père de mon bébé, notre bébé, serait-il proscrit de la société, clandestin pour l'éternité ? Était-ce là ce que l'avenir réservait à cet enfant? Je ne pouvais imaginer un avenir autre que le présent. C'était impossible, je le savais, mais je n'étais pas disposée à en convenir car je craignais ce qui pourrait le remplacer. Pour le moment, j'étais contente et à peine troublée par ce que mon mari pourrait dire lorsqu'il découvrirait un bébé après sa longue absence. Je ne pouvais envisager le retour de Hans. Nos traditions veulent que l'on imagine l'avenir meilleur que le présent et, pour nos enfants, une vie plus riche et plus facile que la nôtre. Je n'arrivais pas à voir d'embellie pour mes enfants, pas la moindre éclaircie à l'horizon. Horrifiée, j'imaginais que ce petit enfant pourrait participer à l'aventure nationale, malgré l'identité de ses parents.

Je désirais beaucoup ce bébé. Il importait tant pour moi qu'il soit de Nathanael. Au long des jours que Nathanael avait vécus dans le refuge du poulailler, il avait été pour moi la source de nombreuses nouveautés. Il me traitait avec respect. Il s'efforçait de me donner, pas seulement de demander. En fait, il ne me demandait jamais rien. Si, par malchance, j'étais dans l'incapacité de lui apporter à manger, à cause d'une visite imprévue ou parce que j'étais retenue au village, il n'y faisait pas allusion. Il ne manifesta jamais d'aversion pour ce que je lui donnais ou ce que je faisais pour lui. Quand, de temps en temps, je le faisais venir à la maison pour qu'il prenne un bain, il en était ravi mais jamais il ne réclamait. Nathanael s'efforçait de me satisfaire. Parce qu'il dépendait de moi, il voulait me rendre heureuse. Je le voyais guetter mes réactions devant ce qu'il faisait. Quand nous étions étendus dans les bras l'un de l'autre sur sa couverture, il me demandait souvent s'il y avait une caresse dont j'avais envie. Il était la première personne qui se soit jamais demandé si je me sentais bien ou fatiguée, heureuse ou triste. Même ma mère avait été trop occupée par ses enfants et sa besogne pour se soucier de savoir si l'un de nous avait quelque besoin. Il fallait être malade pour retenir son attention, encore n'était-ce que pour éviter que nous transmettions notre maladie aux autres.

Je nourris quelques jours l'illusion que je parviendrais à garder Nathanael près de moi si nous devions veiller sur ce bébé. Comme si celui-ci détenait le pouvoir de nous maintenir réunis. L'illusion céda vite. Le sens pratique était trop puissant en moi pour admettre un espoir tellement déraisonnable. Nathanael ne serait pas une partie permanente de ma vie. Même si son arrivée à la ferme datait de plus d'un an, il ne faisait que la traverser. Allait-il partir en me laissant ce bébé?

Quand je retrouvai sœur Karoline le samedi suivant, elle était très nerveuse et ne tenait pas en place. Elle tournicotait autour de moi, me tapota plusieurs fois l'épaule, repartit vers la porte, revint… J'entendais du bruit dans le fond, des pas légers glissaient sur le sol pavé des corridors et dans l'escalier. J'avais le sentiment que la sœur voulait me demander ou me dire quelque chose. J'avançai l'idée qu'elle pourrait vouloir augmenter sa commande, ou qu'elle aurait besoin de plus de poulets la semaine suivante, ou qu'elle souhaitait un autre changement, chaque fois elle répondait:

– Non, non, mon enfant. Rien de tout ça!

Je renonçai donc à deviner ce qui la tracassait et j'attendis. Elle l'exposa sans attendre :

— Je me demandais si…

— Oui, ma sœur, fis-je, encourageante.

— Mon Dieu, comment exprimer cela ? Je me suis souvent dit : quel dur travail que celui de notre coquetière ! Nourrir les poulets, ramasser les œufs, puiser l'eau, et tout le reste. La vie doit être pénible dans votre exploitation. Votre mari est sous les drapeaux, n'est-ce pas ?

— Oui, ma sœur, il est là-bas, répondis-je.

— Combien d'ouvriers agricoles engagez-vous pour la saison ?

— Ma sœur, nous n'engageons pas d'ouvriers à la ferme ! Elle est bien trop petite… Mais j'ai deux enfants qui m'aident.

— Est-ce vraiment suffisant ? Si bien disposés qu'ils soient, vos enfants ont leurs responsabilités dans les H.J.

— Oui, ma sœur, ils en ont.

— Alors vous aurez probablement besoin d'aide pour la prochaine saison.

Sœur Karoline, si aimable et prévenante d'habitude, avait prononcé cette phrase sur un ton très différent. Derrière la suggestion distraite, elle avait proféré un ordre difficile à ignorer. La sœur me disait avoir besoin que je fasse quelque chose pour elle et cherchait un prétexte sur lequel nous pourrions nous entendre.

— Il me semble, ma sœur, que vous avez besoin d'aide. Voulez-vous me dire de quoi il s'agit ?

— Non, mon enfant, je ne vous le dirai pas. Mais en ces jours de malheur et d'angoisse, je découvre que je dois faire appel à de plus en plus de monde pour accomplir l'œuvre de Dieu. Nous avons essayé de faire pour le mieux toutes seules mais les besoins sont si grands que ce n'est plus possible. Vous me comprenez ?

– Ma sœur, vous parlez un langage qui m'est inconnu. Il vaudrait mieux que vous me disiez simplement quels sont vos besoins et je vous dirai si je peux y pourvoir. N'ayez crainte, je n'irai pas vous dénoncer aux autorités. Nous les combattons depuis des années et elles nous obligent toujours à faire semblant de nous plier volontiers à leurs exigences. Si j'avais respecté tous les règlements, nous serions déjà morts de faim à la ferme, sans beurre, sans lait, sans grain pour les poulets. Mais vous ne souhaitez sûrement pas discuter de politique agricole. Qu'attendez-vous exactement de moi, ma sœur ?

– J'ai en ce moment au couvent une jeune fille qui a besoin d'un lieu de séjour. Elle veut travailler dans une ferme. Avez-vous une place pour elle ?

– Elle souhaite vivre dans une ferme ?

– Oui, ce serait le mieux.

– Elle travaillerait ?

– Eh bien, autant vous le dire tout de suite, elle n'a aucune expérience des travaux agricoles. Elle n'y connaît rien. Elle vient d'une ville éloignée. Elle a besoin de notre aide. Pouvez-vous l'accueillir ?

La demande était pour le moins inattendue ! Ma première pensée fut pour Nathanael et pour le danger supplémentaire que serait la présence permanente d'une personne de plus à la ferme. Je cherchais une échappatoire qui ne compromettrait pas mes bonnes relations avec sœur Karoline. En fait, elle m'avait prise de vitesse en sollicitant cette faveur car je me préparais à lui en demander une quand elle avait entamé son tortueux préambule.

– Nous pourrions peut-être faire un essai d'un mois, qu'en pensez-vous ? Nous nous donnerions une chance, tout en gardant la possibilité, elle et moi, de pouvoir revenir sur cet engagement.

Sœur Karoline s'empara promptement de cette proposition peu enthousiaste :

– Je pense que nous pouvons nous entendre ainsi. Vous verrez : elle est pleine de bonne volonté et très désireuse de vous plaire. Elle sera prête dans quelques minutes.

Là-dessus, sœur Karoline s'engouffra dans le couvent dont elle ressortit moins de cinq minutes plus tard, traînant une petite fille réticente, laquelle à son tour traînait un paquet enveloppé dans un châle. Cette frêle petite personne semblait avoir dans les sept ans. Je fus saisie. Les yeux écarquillés de stupeur, je tournai vers la sœur un regard interrogateur qu'elle ignora. Manifestement, elle avait programmé cet échange : la petite fille attendait toute prête que je vienne livrer les œufs.

– Merci beaucoup, ma chère coquetière. Nous vous souhaitons à Marie et à vous une bonne journée. Je vous verrai la semaine prochaine.

Là-dessus, sœur Karoline rassembla ses jupes, tourna les talons, rentra et ferma la porte ; Marie et moi étions encore sur les marches.

Je me lançai dans un bavardage dû à ma nervosité et aux réflexions brutalement interrompues par le claquement de la porte.

– Eh bien, dis-je, nous n'avons plus qu'à nous mettre en route pour la maison. Tu ne connais pas le chemin mais, si tu portes cette boîte et moi ton paquet, nous y serons en un rien de temps. Dis-moi, Marie, comment vas-tu?

Elle ne dit mot.

– Marie, tu veux bien me répondre?

Rien.

– Tu sais, Marie, il y a beaucoup de gens qui ne parlent pas souvent, il n'y a pas de honte à ça. Dis-moi quelque chose, juste pour que je sache que tu peux parler quand tu veux.

Rien.

– Hum, je vois… Tu préfères ne rien dire. Naturellement, je pourrais faire la conversation à moi toute seule, les questions et les réponses, mais je crois que je vais attendre que nous soyons à la maison.

Nous fîmes toute la trotte jusqu'à la ferme sans que Marie profère un son. Beaucoup plus qu'hostile, je la sentais effrayée. Elle ne savait pas comment je pourrais réagir à ce qu'elle dirait et craignait de me mécontenter, donc elle se taisait. C'était plus sûr. De temps en temps, elle me lançait de brefs regards furtifs, comme pour prendre ma mesure. Elle avait besoin de savoir jusqu'où elle pouvait croire à ma gentillesse. Je poursuivais ma route comme si elle n'était pas là et elle s'arrangeait pour me suivre, traînant un peu derrière avant de me rattraper en quelques bonds.

Quand nous arrivâmes, je lui dis qu'elle dormirait dans mon lit et lui montrai les abords de la maison, en précisant bien que personne n'entrait jamais dans le poulailler, excepté moi. Je lui indiquai puiser de l'eau et lui fis faire le tour des pièces. L'heure fut vite venue de préparer le dîner et j'installai Marie devant un tas de petits pois et deux terrines, une pour les pois, l'autre pour les cosses. Je lui montrai comment faire et la laissai seule. Quand je revins et découvris un fond de petits pois et une terrine pleine de cosses, la colère me prit :

– Comment as-tu osé dévorer nos petits pois ? Tu as volé notre nourriture ! Qu'est-ce qui t'a pris de faire une chose pareille ?

La surprise, jointe à l'impression d'avoir été trahie, fit que je hurlai cette question dont la réponse n'était que trop claire. Marie mourait de faim.

Elle me regardait ; un désarroi et une consternation totale crispaient le petit visage fragile qu'elle tendait vers moi d'un air interrogateur.

– Oh, Marie ! Elles ne vous donnaient pas à manger au couvent ?

Elle me refusa la moindre réponse. J'avais d'abord attribué son mutisme à la timidité et à un sentiment d'insécurité bien compréhensible en l'occurrence. À présent, je n'y voyais plus de timidité, je voyais qu'elle n'était pas méfiante et ne se sentait pas coupable de ce que je pensais être une faute grave. Marie avait fait ce qui était pour elle une chose naturelle. Elle avait été si longtemps privée qu'il ne lui était pas venu à l'esprit que les petits pois seraient un des plats d'un repas plus abondant que nous partagerions tous. Elle avait simplement profité d'une occasion d'apaiser sa faim permanente. Ma réaction l'avait déconcertée. Je n'allais pas pousser plus loin tant qu'elle ne répondrait pas.

– Marie, tu comprends ce que je te dis ?

Elle me fit oui de la tête.

– Tu sais que tu as fait quelque chose de mal en mangeant presque tous nos petits pois?

Elle secoua la tête.

– Peux-tu m'expliquer, s'il te plaît, pourquoi tu ne me réponds pas avec des mots? Nous ne pouvons pas continuer comme ça. Si tu ne me parles pas, il faudra que je te renvoie chez sœur Karoline.

Évidemment, cela marcha.

– Non, dit Marie.

– Alors, pourquoi as-tu mangé tous les pois?

Elle haussa les épaules.

– Marie, tu vas me parler?

– Non.

Je lui dis de rentrer à la maison. Je voulais prendre l'avis de Nathanael qui, je le savais, nous écoutait et avait vu la scène par la fenêtre du poulailler.

À peine étais-je entrée, qu'il me demanda :

– Où as-tu déniché cette petite chose?

– Elle vient du couvent. Sœur Karoline m'a demandé de la prendre en charge. Elle m'a dit qu'elle travaillerait pour moi.

– Et bien sûr, elle a dévoré tous les petits pois… Tu t'es mis sur les bras une nouvelle pupille très très affamée, mon Eva.

– Comment cela?

– Cette petite fille est probablement juive et orpheline; ou bien on la fait passer pour orpheline, et ses parents sont pour le moment des sous-marins. Ils ont plongé dans la clandestinité ou vivent sous une autre identité. Ils pensent que Marie est en sécurité au couvent et comptent venir la rechercher un jour, quand il n'y aura plus de danger. Les religieuses l'ont prise sous leur protection mais il se peut qu'elles aient à présent trop d'enfants et doivent les placer ailleurs, faute de ravitaillement ou parce que la Gestapo est devenue soupçonneuse ou menaçante. Tu n'as pas remarqué que ta petite fille est très brune? Qu'elle a les traits tirés?

– Les couvents abritent des enfants juifs?

– Cela fait quelques années que ça dure. Les parents estiment que le climat est devenu irrespirable, ou ils craignent une arrestation imminente, ou ils ont décidé de se lancer dans des activités dangereuses et ils envoient leurs enfants au loin. Ils envisagent seulement une séparation temporaire mais veulent protéger leurs enfants de cette façon.

– Crois-tu qu'on prodigue à ces enfants l'enseignement de l'Église?

– Qui sait? L'Église est dans un tel chaos en ce moment qu'elle ne peut assurer l'enseignement de ses fidèles. Dans les écoles publiques, on apprend aux élèves à prier le Führer, les écoles religieuses ont été dissoutes et les églises seront bientôt fermées. Même si elles restent ouvertes, plus personne ne peut y aller. Ils ont collé des photographies du Führer sur les peintures de Jésus. C'est une nouvelle religion.

– Pauvre Marie!

– Ça ne peut pas être son prénom. Il se peut même qu'elle ne se souvienne pas de son vrai prénom. Le couvent doit être rempli de douzaines de Marie et de Joseph en ce moment... Alors, tu vas devoir désormais t'occuper d'elle et de moi. Il faudra que tu expédies rapidement le contrôleur de l'Agriculture quand il viendra. Eva, tu t'engages plus gravement que jamais.

– Mais que vais-je dire à notre Marie ? Tu as vu ? Elle refuse de me parler.

– Je pense qu'elle veut éviter que tu remarques son accent citadin. La sœur ou sa mère ont dû lui recommander de ne pas parler pour que personne ne soupçonne qu'elle vient de la ville.

– Alors c'est à moi de l'apprivoiser.

– Je compte sur toi. Puis-je embrasser cette femme très remarquable ?

Mes mobiles n'étaient pas assez purs pour mériter une récompense. Si je renvoyais notre prénommée Marie, ne serais-je pas plus encline, plus portée à renvoyer Nathanael ? Avec Nathanael, il n'y avait plus de doute là-dessus. Et Marie, une si petite fille, qui aurait le cœur de la renvoyer ? Qu'est-ce qui faisait qu'elle était juive ? Elle n'était jamais que la première que je rencontrai ; elle et mon premier Juif vivaient tous deux sous mon toit et sous ma protection.

10

La semaine suivante, quand je retournai au couvent pour la livraison, je savais qu'il me faudrait aborder le sujet que j'avais en tête huit jours plus tôt. Seulement, cette fois, sœur Karoline avait une dette envers moi. Elle avait remis son sort et celui de son ordre entre mes mains; à présent, nous étions toutes les deux en danger et mutuellement endettées en quelque sorte. Sœur Karoline ouvrit la porte et se précipita vers la grille pour me parler. Elle prit les œufs, les deux poulets, et me demanda comment allait Marie.

– Marie va bien, ma sœur, mais je me demande si vous pourriez m'indiquer le nom d'un docteur par ici, auquel je pourrais faire confiance.

– Eh bien, nous avons un docteur sur place, une femme, précisa-t-elle. Elle vit au couvent avec nous. Puis-je savoir de quoi il s'agit? Je pourrais lui en parler et vous donner la réponse la semaine prochaine.

– Je préférerais ne rien dire, et ne pas nommer la personne concernée. J'aimerais parler au docteur elle-même, si possible.

– Je vous en prie, attendez ici. Je vais voir si elle est libre.

Sœur Karoline revint peu après, accompagnée d'une très petite femme d'une quarantaine d'années.

Je jetai un coup d'œil vers la sœur, visiblement curieuse d'en savoir plus, et murmurai au docteur que je désirais lui parler en particulier.

– En quoi puis-je vous aider? demanda-t-elle après que nous nous fûmes éloignées de quelques pas.

– J'attends un bébé.

– Je vois. Et qu'espérez-vous de moi?

– J'ai décidé que je ne peux pas l'avoir. Je veux sauver ce bébé.

– Sauver le bébé. Oui, je crois que je vous comprends. Vous voulez lui épargner cette vie, c'est cela?

Je hochai la tête.

– Quand vous reviendrez livrer vos œufs la semaine prochaine, pensez à ne rien manger la veille. Tirez la cloche comme d'habitude et dites à la sœur que vous avez un cadeau pour le docteur.

Là-dessus, elle fit demi-tour et rentra dans le couvent. La sœur attendait toujours près de la porte; après le départ du docteur, elle me fit au revoir de la main, je lui répondis de la même façon et repartis.

Toute la semaine, je réfléchis à ce qui allait arriver. J'avais peur mais j'étais certaine d'avoir pris la bonne décision. Je n'avais pas de doute quant à ce que j'allais faire, je n'avais pas d'alternative. Pour moi, il y avait d'un côté le monde des rêves, de l'autre la réalité, et je connaissais la différence. Mon sentiment de vivre dans le présent était si fort qu'il m'empêchait de céder à l'imagination. Pour protéger l'enfant qui était en moi, il fallait que je le libère de notre vie.

En attendant, Marie était un tracas pour nous tous. Mes enfants avaient été furieux contre moi quand ils l'avaient découverte en rentrant de classe. Ils

152

m'avaient demandé combien elle allait nous coûter et pourquoi je ne pouvais pas continuer d'assurer l'entretien de l'exploitation comme nous l'avions toujours fait. Je n'attachai pas grande importance à leurs objections et me contentai de leur répondre poliment. Mes sujets de préoccupation se multipliaient à n'en plus finir. Nathanael, bien sûr, maintenant moi, plus Marie, sans parler des inspections mensuelles du fonctionnaire de l'Office de l'agriculture qu'il fallait satisfaire, de l'élevage, des travaux courants de la ferme, des exigences de mon lointain mari et des besoins quotidiens des enfants.

Marie était un dérivatif. Mon attitude envers elle était ferme, très ferme, mais essentiellement gentille. J'étais infiniment curieuse. Nathanael voyait-il juste quant à la raison de sa présence au couvent? Elle avait dû s'y sentir très seule. Si aimables fussent-elles, les sœurs pouvaient difficilement remplacer sa mère et sa famille. Elle était assez grande pour savoir que ses parents l'avaient délibérément abandonnée. En admettant même qu'ils lui avaient tout expliqué, qu'ils en avaient eu le temps, elle était sans doute trop jeune pour comprendre les raisons multiples qui avaient contraint ses parents à l'expédier loin d'eux. Cette idée me rendait plus tolérante à l'égard de la petite fille maussade et renfermée qui nous avait été confiée. Je recommandai à mes enfants d'être particulièrement prévenants à son égard; car elle avait perdu ses parents, ajoutai-je, profitant du double sens du mot. Et je leur expliquai comment la sœur m'avait priée de la prendre; néanmoins, ils ne l'acceptaient pas et estimaient qu'elle ne méritait pas d'habiter chez nous. Je fis valoir qu'elle serait un travailleur de plus pour l'exploitation, ce qui déclencha leur hilarité : cette minuscule créature pas même capable de puiser un seau d'eau ! J'insistai alors pour qu'ils soient polis envers elle et se conduisent de façon correcte.

Le samedi suivant, je fis mes préparatifs habituels du jour de marché. J'étais tendue, naturellement, mais je fis de mon mieux pour écarter de mon esprit ce qui me tracassait. J'emballai les œufs, attrapai les poulets pour satisfaire aux demandes et partis pour le village. Après avoir écoulé ma marchandise sur la place, je me rendis au couvent où je livrai sa commande à sœur Karoline et lui dis que j'avais un cadeau pour le docteur. Elle me poussa vivement à l'intérieur, impatiente de refermer la porte derrière moi, et la fit appeler. Une fois seule dans l'entrée, les raisons de ma présence fondirent sur moi et je frissonnai. J'avais réussi à écarter l'idée de ce rendez-vous pendant toute la semaine par peur de ma propre faiblesse. Puis le docteur parut, irradiant force et compétence. Solide et sûre d'elle, elle me prit par le bras, comme si j'étais une amie de longue date, et me conduisit vers l'escalier.

– Coquetière, me dit-elle avec douceur, vous avez dû passer une semaine très pénible. Je vous admire beaucoup pour ce que vous allez faire aujourd'hui. Vous êtes une femme forte. Puis-je vous parler de moi pour que vous sachiez avec qui vous partagez ce jour très particulier ? Mon nom n'a pas d'intérêt pour vous, mais à l'hôpital du centre de la capitale, tout le monde le connaît. Si vous y allez, ils essaieront de faire un distinguo entre le médecin et la femme que je suis. Ils vous diront que j'étais à la tête de ma classe à l'école de médecine et que je travaillais plus que les autres, bien décidée à devenir docteur. Je restais plus tard que les autres au labo, faisais plus de recherche, plus d'expériences et vivais comme un ermite pour réussir. Je prenais mon rôle très au sérieux et, bien qu'il me fût vite évident que le savoir médical n'avait avancé que de quelques pas depuis le chaman des tribus primitives, je décidai d'aider les gens à lutter contre leurs maladies et d'être leur meilleure alliée dans ce combat. Mes collègues de l'hôpital et moi coopérions harmonieusement, mis à part quelques crises de jalousie sans conséquences. Tous les docteurs font partie de l'Association des médecins, et l'État indemnise l'hôpital et le docteur pour les frais entraînés par les patients. Récemment, de nouvelles règles d'accession ont été fixées pour les candidats à l'Association. Au début, personne n'y fit attention. Puis un jeune médecin de l'équipe s'avisa que, s'il y avait une vacance, il pourrait bénéficier d'une promotion. Il n'y avait pas de vacance mais je reçus un avis m'informant que, désormais, je ne pouvais plus accéder à l'Association des médecins. Je fonçai dans le bureau du directeur. «Je viens d'être avertie que je ne peux pas appartenir à l'Association. Ce qui signifie que je dois quitter l'hôpital ; en fait, que je ne peux plus pratiquer la médecine.» «Qu'y pouvons-nous, ma chère? a répondu le directeur. Ce n'est pas nous qui faisons les lois. Si vous continuez à travailler ici, nous serons envoyés dans des camps de concentration pour y être rééduqués. Nous serons punis pour vous avoir gardée et vous-même serez toujours sans travail.» «Tout cela va plus loin que le seul chômage.» Il m'a regardé tristement. Hélas, personne ne se sacrifiera pour vous. Où est l'homme qui va dire : «Virez-moi aussi car, si vous la virez injustement, je ne travaillerai plus ici.» À quoi cela servirait-il? Deux personnes seraient au chômage, l'une injustement et l'autre stupidement… Aujourd'hui, si vous retournez à l'hôpital vous enquérir à mon sujet, on vous dira que je suis de ceux qui voudraient s'emparer du pays au détriment de ses citoyens de droit. Que moi, une femme et une Juive, j'occupais la place d'un confrère plus valeureux. Que j'ai tenté de me pousser devant des collègues plus méritants. Que, sur un plan génétique qui est fondamental, je leur suis inférieure. Ils diront qu'au lieu d'étudier, j'aurais dû être femme au foyer et faire des bébés, et qu'à présent je ne suis même plus digne d'en avoir. Que mes bébés ne sont pas dignes de vivre.

Elle parlait simplement, d'une voix claire et douce tandis que nous grimpions les escaliers jusqu'au dernier étage du couvent. Seul indice de ses émotions, son regard froid et dur; je lisais dans ses yeux qu'elle était prête à tout. Elle me fit entrer dans une petite pièce, m'aida à me déshabiller et me donna un peignoir. Puis elle m'apporta un médicament dilué dans un verre d'eau que je bus aussitôt. Nous nous assîmes dans un fauteuil moelleux et elle me demanda depuis combien de temps j'étais enceinte et comment je me sentais. Puis elle me fit étendre sur un lit, plaça un coussin sous mes genoux et me donna un oreiller.

– Sœur Karoline m'a dit que Marie est allée vivre chez vous, reprit sa voix douce. Vous êtes sans doute curieuse de savoir pourquoi elle se retrouve dans une ferme. Elle ignore tout des travaux agricoles et n'a jamais travaillé. On lui donne neuf ou dix ans mais elle en a au moins quinze. Elle a subi de telles privations qu'elle a cessé de grandir, perdu des dents définitives et n'a jamais eu de règles. Depuis des années, elle a constamment faim. Elle s'est habituée à mentir, chaparder et vivre en se cachant. Elle ne peut se souvenir d'avoir vécu une vie normale, ne va plus en classe depuis des années et a oublié ce qu'elle avait peut-être appris. L'expérience lui a enseigné à refuser de faire confiance, sans distinction, sans exception. À propos, elle n'est pas malade – je l'ai examinée. Son développement physique a subi un dommage irréversible, mais elle vivra. Si les temps reviennent à la normale, Marie y reviendra-t-elle aussi? Il serait intéressant de suivre son état mental pendant quelques années. Sa mère était infirmière et son père commerçant. La famille était saine, florissante et heureuse, mais quand les nouvelles lois ont interdit à quiconque de commercer avec des Juifs… vous saviez que Marie est juive, n'est-ce pas?… quand ces lois ont été promulguées, les fidèles clients du père de Marie sont allés faire leurs achats quelques pâtés de maisons plus loin, chez un commerçant approuvé par les autorités. Sa mère a gardé quelque temps son travail à l'hôpital. Son père a été contacté par l'opposition, ceux qu'on appelle les provocateurs. Il avait déjà vendu son stock à un concurrent, fermé boutique, mais avait gardé sa voiture. Les résistants lui ont demandé de transporter des enfants à la campagne; selon leurs directives, il faisait la navette entre la capitale et ce couvent où il conduisait des enfants.

Aujourd'hui, trente fillettes y vivent. Leurs parents, menacés, ne songeaient qu'à les sauver. Ces enfants et ceux que nous avons placés à la campagne ne reverront peut-être jamais leurs parents. Ils l'ignorent. Leurs parents ont donné deux fois la vie à leurs enfants. Condamnés, ils ont envoyé leurs enfants vers l'avenir. Comme vous êtes en train de le faire. Lors de son dernier voyage au couvent, le père transportait Marie et sa petite valise. Il a tiré la cloche et sœur Karoline lui a ouvert. Elle était moins patiente que d'ordinaire, m'a-t-elle confié. Le père a pris la main de Marie et dit à la sœur que c'était sa fille Rebecca. Qu'il serait heureux et reconnaissant si la sœur trouvait un endroit où elle pourrait séjourner jusqu'à ce que sa femme et lui reviennent la chercher. Accablée par cette situation poignante et craignant de manifester ses émotions, sœur Karoline a arraché la main de Rebecca à celle de son père en disant : «Bien sûr. Allons-y maintenant. Entre.» Et, entraînant l'enfant, elle a refermé la porte au nez de son père. Je suis sûre que l'instinct de la sœur était juste, elle leur a rendu service. Les adieux qui s'éternisent sont un poison qui agit bien au-delà de leur durée. Mais sœur Karoline ne peut pas oublier son attitude. Elle éprouve l'étrange besoin de se faire pardonner et a toujours favorisé Marie. Sitôt que nous avons entendu dire que notre sanctuaire ne le serait plus longtemps, elle a décidé de trouver un logis plus sûr pour elle.

Tout en m'hypnotisant avec ce récit bouleversant, le docteur me massait. Elle avait commencé par caresser mes avant-bras jusqu'à les engourdir par des pressions répétées. Puis, légèrement, presque distrai-

158

tement, elle massa mes jambes. J'avais la vague impression que ses paroles et ses caresses m'entouraient d'une enveloppe protectrice. Je quittai le monde des réalités pour un lieu indistinct où les choses se passaient sans m'atteindre directement. Je l'entendais parler et sentais ses mains sur mon corps mais je ne pouvais participer. Je flottais sur le lit depuis une heure peut-être quand j'eus conscience d'une pression qui s'exerçait sur mon ventre. Étaient-ce les mains du docteur qui pétrissaient mon diaphragme vers le bas? Ou quelque chose en moi qui poussait et glissait? En rêve je pourrais retrouver cette sensation mais jamais éveillée. En rêve je pouvais entendre des gémissements et des cris dont je ne me souviens pas. Les mains continuaient à presser mon ventre et je pus à nouveau me concentrer sur ce que le docteur disait.

– À la campagne, poursuivait la voix, vous voyez les choses différemment. Quand les autorités ont insisté pour que les jeunes citadins donnent de leur temps pour aider aux travaux des champs, personne n'a bronché dans les villes. Jusqu'à ce que les enfants reviennent en se moquant de cette vie ridicule. «Imagine-toi, disaient-ils, ils n'ont pas l'eau courante… On s'occupait de bestiaux stupides et dégoûtants, et pas moyen de prendre un bain… Et ces trucs bizarres qu'on mangeait, ces corvées dans les champs, ces travaux manuels à vous casser les reins. À croire qu'ils nous prenaient pour des mules…» Les enfants des villes sont gâtés et ne s'adapteront jamais à la vie rurale. Marie a vécu sans luxe et sans confort excessifs, mais en ville, et la vie à la campagne lui paraît totalement étrangère. Bien sûr, ce n'est pas son problème essentiel. Elle a besoin d'amour. Il lui faudra toute une vie pour se convaincre qu'elle sera aimée. Marie est un grand blessé de guerre traumatisé. Elle s'est fermée à ce qui l'entoure et qu'elle ne peut absorber sans douleur. Pour elle, c'est plus facile. N'attendez pas trop d'elle ; elle a peu à offrir et ne peut pas accepter grand-chose. La vie a été particulièrement cruelle pour les enfants du couvent mais elle n'a pas jugé convenable d'apaiser leurs souffrances par la mort.

À présent elle m'aidait à quitter le lit. Elle me mit des linges entre les jambes et me fit faire quelques pas dans la pièce, puis d'un mur à l'autre, et quand je fus capable de marcher seule, elle m'aida à me rhabiller.

– Vous avez beaucoup d'énergie. Vous venez d'accomplir un geste courageux que vous et moi serons seules à connaître. J'admire votre compassion et votre sensibilité.

Sur le chemin du retour, la tête me tournait. Pendant les semaines et les mois qui suivirent, je n'eus guère le temps de réfléchir à ce qui s'était passé. Je n'ai jamais pu savoir combien de temps cela avait duré.

11

Marie ajoutait à mes responsabilités sans me soulager en rien de mes travaux. Elle me suivait partout, à la fois parce que je ne pouvais lui confier aucune tâche qu'elle aurait pu accomplir seule et parce que j'aimais savoir où elle était. Sa compagnie n'était pas franchement joyeuse. Petite et délicate, elle avait horreur de se salir et, sans desserrer les dents, elle arrivait à se plaindre de tout, ce qui aigrissait l'humeur générale. Je devais la défendre contre mes enfants qui réclamaient qu'on la renvoie puisqu'elle ne faisait jamais rien. J'étais moi aussi portée à m'insurger contre le fait qu'elle attendait plus de soins qu'elle ne rendait de services. C'était une expérience peu ordinaire d'avoir chez soi une travailleuse qui ne faisait rigoureusement rien, ni pour elle, ni pour les animaux, ni pour les autres.

Avec le recul, j'arrive à me représenter l'exploitation telle que, peut-être, Nathanael et Marie la voyaient. Dans la basse-cour parsemée de crottes et de déjections, les touffes d'herbe acharnées à survivre étaient victimes de l'avidité des poulets ou des vaches, ou encore piétinées par une semelle ou un sabot. Quand on revenait du village après une course d'une ou deux heures, l'odeur douceâtre et pénétrante de la

161

ferme s'imposait. Sans l'odeur, ce n'aurait pas été la campagne et, pour nous, les effluves provenant du mélange des fumiers de porc, de vache et de poulet étaient familiers et réconfortants. Aucune autre exploitation ne sent exactement comme la nôtre ; chacune a son odeur, comme une maison qui s'imprègne des arômes des plats qu'on y cuisine, du bois qui brûle dans le poêle, des bottes qui sèchent à la porte, du pain et de la soupe qui cuisent. Nous évitions d'instinct les tas d'excréments car nous connaissions les coins favoris des vaches et des cochons. Quand il nous restait de la paille, on en étendait sur les endroits les plus souillés mais, d'habitude, on se contentait de les contourner sans y penser. Le plus souvent, nous portions des bottes à l'extérieur et nous les échangions pour des chaussures en entrant dans la maison. Quand nos bottes furent trop usées pour supporter une nouvelle réparation – impossible de les remplacer car elles étaient en caoutchouc et que le caoutchouc à l'époque était déjà rationné –, nous avons utilisé nos moins bonnes chaussures que nous laissions à la porte pour enfiler des chaussons.

Marie n'avait l'habitude ni de la boue ni des crottes, et mettait infailliblement le pied dans les déjections malodorantes. Un jour, elle glissa sur une large bouse et tomba dedans. Cette fois, elle ne broncha pas, ne pleura pas, ne se plaignit pas mais, alors que nous allions nous asseoir à table pour le repas, il fallut prendre le temps de lui donner un bain et l'aider à se changer. Aucun de nous n'arrivait à la comprendre. Les enfants la critiquaient sans désemparer ; pour eux, elle faisait tout de travers. Quant à l'explication que j'avais avancée – Marie vient du couvent– elle ne les satisfaisait pas. Ils traitaient par-dessus la jambe tout ce que je disais, sauf quand je parlais de la ferme. Ils me déniaient toute connaissance; pour eux, je ne savais rien du village, à plus forte raison des sphères plus vastes et lointaines. Si j'émettais une idée sur un sujet qu'ils apprenaient en classe ou à la Jugend, ils pouffaient de rire et se moquaient ouvertement de mon ignorance. Marie n'était pas membre de la Jugend, Marie n'allait pas en classe, Marie était suspecte, et d'autant plus suspecte qu'elle venait du couvent. Même son ignorance concernant la campagne avait quelque chose de louche.

Je dois reconnaître qu'elle ne nous était d'aucun secours.

Le goût lui était venu de m'accompagner au village les jours de marché. Elle portait avec maladresse quelques œufs et pour rien au monde n'aurait touché un poulet. Quand il était temps que j'aille livrer ma commande au couvent, elle restait sur la place du marché et m'y attendait. Un jour, quand je revins la chercher, plusieurs femmes faisaient cercle autour d'elle près de mon étal. Elles essayaient de savoir d'où elle venait. Bien entendu, Marie n'avait pas ouvert la bouche mais les commères cancanaient sans vergogne, se demandant où j'avais bien pu la trouver, où il leur semblait l'avoir déjà vue, si oui ou non c'était ma fille, et ainsi de suite. Mon retour les prit au dépourvu, mais elles étaient tout indulgence pour leur propre effronterie car leur objectif était pur et elles invoquaient un principe supérieur pour excuser leur indiscrétion et leurs ragots. M'efforçant de les ignorer, je rassemblai mes emballages vides et m'apprêtai à partir. Mais ces femmes se croyaient tout permis.

– Nous nous demandions qui peut bien être cette jeune et jolie créature. Où avez-vous trouvé une petite demoiselle aussi efficace ?

Elles voyaient parfaitement que Marie ne m'était d'aucune utilité et je pouvais difficilement justifier sa présence en arguant de sa débrouillardise. Je les priai de m'excuser car j'étais pressée de rentrer chez moi.

Sur le chemin du retour, je demandai à Marie quelles questions lui avaient posées ces stupides femmes mais elle préféra ne pas m'en parler. En fait, elle refusait toujours de parler. Elle ne nous répondait pas et ne posait pas de questions. Jamais elle ne se défendait si nous la grondions quand elle avait commis une maladresse ou fait une idiotie ; elle se contentait de nous regarder, mais de telle façon qu'il était impossible de continuer à la réprimander. Son indifférence à nos remontrances et à nos essais pour lui apprendre à faire les choses correctement était si totale que leur inutilité crevait les yeux. Jamais mes enfants ne se résignèrent à sa présence. Ils n'arrivaient pas à croire qu'elle avait presque leur âge. J'éprouvais de la tendresse pour elle ; son côté délicat éveillait en moi un instinct protecteur et son extrême froideur qui lui aliénait mes enfants – c'était ce qu'elle cherchait – décuplait ma patience et ma capacité de l'accepter.

Sœur Karoline m'avait laissé entendre qu'elle s'attendait à tout instant à une descente de police au couvent, quelqu'un ayant parlé des enfants à la

Gestapo. L'idée que ces petits qui se croyaient en sécurité dans un paisible couvent allaient partir pour des camps de redressement était tragique, sans parler de la situation désespérée des sœurs qui allaient payer le fait de les avoir abrités. Tout en sachant que je pourrais être sanctionnée pour avoir caché Nathanael et que je saurais en supporter les conséquences – la honte et l'emprisonnement –, je supportais mal qu'une telle souillure puisse entacher la vie de mes enfants, même si je ne pensais pas qu'ils auraient eu pour moi le même sentiment.

Le mode de vie que Nathanael et moi avions mis au point nous avait semblé pouvoir durer indéfiniment. L'arrivée de Marie mit à mal cette illusion car elle multipliait les risques que Nathanael soit découvert. Si elle était interpellée, la sécurité de Nathanael et la protection que je lui apportais seraient compromises, et je me demandais si j'accepterais sans rancune un châtiment pour avoir défendu Marie, sachant qu'elle était cause de la suspicion qui rendait Nathanael vulnérable.

Les propos inquiétants du docteur rôdaient sans cesse dans ma tête. Je rêvais souvent et parfois je me réveillais en sueur, la gorge serrée, tandis que Marie me tapotait le bras pour m'apaiser et chasser le cauchemar. Je la remerciais non sans m'inquiéter de ce que j'avais pu dire dans mon sommeil et qu'elle aurait peut-être compris. Elle était sensible, c'était sûr, bien qu'elle ne dît rien.

Mon plaisir avec Nathanael était toujours aussi complet. Sa douceur ne s'épuisait pas, ni le ravissement sincère qu'il trouvait au mien. Néanmoins, la conscience que cette situation ne durerait pas commençait à se préciser. L'arrivée de Marie, les informations sur les activités du couvent et tout ce que j'avais compris de la vie dans les villes et de la misère qui régnait à mon insu depuis des années s'imposaient à ma réflexion. Lâchée par quelque oiseau de mauvais augure, l'idée que le salut de Nathanael exigeait son départ s'ancrait dans mon esprit. Je devins réservée. Lentement, et pourtant par surprise, je me rendais compte que c'était fini; ma vie se poursuivrait mais Nathanael deviendrait un souvenir, un secret. Nathanael avait dû saisir une expression nostalgique ou absente sur mon visage car il me questionna :

– As-tu trouvé un autre amoureux, Eva ?

– Nathanael ! Mais qu'est-ce que tu racontes ! Comment peux-tu m'accuser d'une chose pareille ?

– Je ne sais pas, Eva, je dois perdre la tête. Peut-être que je laisse les poulets me taper sur les nerfs. Qui suis-je pour me permettre d'être jaloux ?

– Là n'est pas la question, Nathanael. C'est très flatteur pour moi de penser que tu pourrais être jaloux. Mais tu ne peux pas t'attendre à ce que je sois toujours la femme que tu as découverte en débarquant dans le poulailler. Toi, es-tu le même qu'avant ? Pas pour moi. L'étranger auquel j'ai dû apprendre à écosser les haricots est devenu une part de moi-même. Jamais tu ne pourras faire marche arrière pour redevenir l'étranger. Tu seras toujours ce que tu es aujourd'hui pour moi, une partie de moi-même, ma vie, moi. Pour toi, je ne peux pas être identique à celle du premier jour.

– Tu as changé, c'est vrai. D'abord une parfaite étrangère, une femme que l'on n'aurait pas osé arrêter dans la rue pour échanger quelques mots. Et maintenant mon Eva familière, connue, inimitable, tendre et chérie. Mais toujours innocente, simple, spontanée, directe et honnête. Tes qualités n'ont pas changé.

– C'est ce que tu dis...

Je ne pouvais pas poursuivre pareille conversation sans être forcée d'expliquer en quoi j'avais ou n'avais pas changé. Le soir même où Karl m'avait parlé de la piste jalonnée dans la montagne au bout de laquelle il avait vu la Suisse, j'avais su qu'il me montrait la voie qui serait celle de Nathanael vers l'avenir. Au début, j'avais évité d'y penser comme à une solution qui serait nécessaire d'ici peu car cela signifiait que Nathanael partirait bientôt. Que c'était mesquin! Que c'était égoïste! Après avoir entendu ce que le docteur avait à me dire, j'avais compris qu'il n'y avait pas de place pour l'égoïsme. Les temps avaient changé et les petits mobiles personnels devaient céder la place à des pensées plus généreuses et plus élevées que le désir de coucher ensemble sur une couverture dans un poulailler. Nathanael n'était pas un cas isolé qui ne touchait que moi. Il faisait partie d'un immense événement et n'était pas à sa place dans ma vie de campagnarde, dont la ferme était un petit détail dans une histoire qui brassait les destinées de multitudes de gens que je ne connaîtrais jamais. Grâce aux récits du docteur, j'avais entrevu ce qui se passait au-delà du village, dans les lieux où Nathanael et Marie avaient vécu. Je ne me rappelle pas avoir réagi ce jour-là aux propos du docteur, qui ne l'attendait d'ailleurs pas de moi. Peut-être n'a-t-elle jamais saisi l'ampleur de ce qu'elle m'offrait : une première ouverture sur la façon dont d'autres vivaient. Tout en reconnaissant que j'en savais très peu sur la vie citadine, je n'imaginais pas à quel point elle pouvait être différente de celle que nous menions.

Je souffrais de ce que mon existence ait tant limité ma vision. J'avais trouvé la vie tellement prévisible, les saisons, les semaines et les jours si semblables d'une année à l'autre. J'avais ignoré à quel point la vie était différente pour les autres, ignoré leurs souffrances et leurs humiliations. Étais-je plus méritante que les autres pour avoir eu droit à plus de faveurs? Pourquoi bénéficierions-nous de privilèges que nous n'avons pas mérités? Il se pourrait qu'un décret m'ait donné le droit de posséder cette ferme, le droit d'aller en classe. Les avais-je mérités? Et pas Nathanael? Et pas Marie? Allais-je découvrir un arrêté qui me forcerait à cacher mes enfants? À me cacher, moi? N'y avait-il aucune limite à ce qui nous attendait?

12

Un vendredi, au dîner, les enfants m'annoncèrent qu'il était inutile que je livre des œufs aux religieuses car ils avaient entendu dire qu'il y avait des Juifs au couvent et qu'ils allaient être arrêtés ainsi que les sœurs.

– Qu'est-ce que vous voulez dire par arrêtés ? Comment peut-on arrêter des sœurs ? demandai-je.

– Arrêtées, tu sais ce que ça veut dire. Ils les emmènent et elles sont arrêtées. Les sœurs sont comme tout le monde, enfin. Je veux dire qu'elles peuvent aussi être arrêtées si elles cachent des Juifs.

Je résolus d'ignorer l'avertissement de Karl et me présentai le lendemain au couvent comme d'habitude. Quand je sonnai, sœur Karoline, qui vint m'ouvrir comme de coutume, me prévint aussitôt qu'elle ne pouvait pas payer la commande d'œufs.

– Prenez-les quand même, dis-je. Vous me paierez plus tard. Comment cela va-t-il chez vous ?

– Pas bien du tout, coquetière, répondit-elle. Nous avons perdu quelques-unes de nos sœurs. Elles ont été arrêtées. Ils nous accusent de trahison parce que nous refusons de signer le serment de fidélité. D'ici peu, nous allons perdre le couvent ; ils affirment que nous ne pouvons détenir cette propriété si nous ne signons pas le serment. Même les villageois que nous pensions être nos amis ont peur de nous parler et ils sont bien moins nombreux à venir prier dans notre église. Vous pouvez, vous aussi, ne plus vous arrêter chez nous. Peut-être que cela vaudrait mieux pour vous.

– Je reviendrai la semaine prochaine, sœur Karoline. Je n'ai pas peur.

Le soir, les enfants m'interrogèrent à propos du couvent et je leur dis que j'avais remis les œufs aux sœurs qui n'avaient pas pu me payer. Karl était dans tous ses états. Il frappa sur la table :

– Maman, tu encourages des traîtres ! Tu sais ce qui va t'arriver ? Tu sais quel est le châtiment réservé à ceux qui aident les traîtres ? Tu sais ce qui va se passer s'ils le découvrent ?

– Comment veux-tu qu'ils découvrent que j'ai vendu des œufs à crédit au couvent ?

– Ce n'est pas si simple, maman. Tu sympathises avec des ennemis de l'État. Sais-tu qu'Olga et moi avons juré sur notre vie de protéger l'État ? C'est notre devoir de prévenir nos supérieurs de tout ce qui menace notre sécurité. Tu comprends ça ?

– Karl, tu ne penses tout de même pas que sœur Karoline est une menace pour qui que ce soit ! À moins que tu ne parles de moi ?

– Maman, tu ne veux pas nous mettre, Olga et moi, dans une situation compromettante, j'espère. Sais-tu que ma carrière pourrait être fichue en l'air si, connaissant une menace qui pèse sur l'État, je n'en informe pas mes supérieurs ? On pourrait m'interdire l'entrée dans les écoles d'officiers. Ma carrière serait finie avant même d'avoir commencé. Le chef de la patrouille m'a dit qu'il a l'intention de me recommander pour l'école, à cause de mon dévouement et de ma loyauté. S'il découvre que j'ai eu connaissance d'une trahison et que je ne l'ai pas dénoncée, je n'aurai plus qu'à gaver des volailles toute ma vie.

– Tu ne vas pas me faire croire que quelqu'un peut considérer comme une trahison le fait de vendre des œufs à des sœurs.

– Tu sais, maman, je ne suis pas le seul membre de la patrouille qui veuille entrer à l'école d'officiers Les parents dont le fils est choisi pour l'école devraient en être fiers. Comme mère d'un candidat cadre, tu dois être au-dessus de tout soupçon.

Je levai les yeux et la terreur que je lus dans ceux de Marie m'imposa le silence. Allais-je commencer maintenant à me disputer avec mes enfants? L'identité de mes clients était-elle vraiment un problème pour la sécurité de l'État? Marie et son terrible silence m'émurent et mirent fin au débat. Je félicitai Karl d'avoir eu l'honneur d'être sélectionné pour l'école des cadres.

Je m'étonnais de l'aisance avec laquelle je trompais à présent mon entourage. Une fois engagée dans cette voie, je l'avais été entièrement et ma duplicité n'épargnait rien. Tous les instants de ma journée étaient organisés en fonction d'une supercherie et mes agissements calculés en fonction d'elle. Les quantités de légumes pour le ragoût, la lessive, ce que j'allais porter au poulailler, le moment de ramasser les œufs. Toutes mes pensées, tous mes gestes tournaient autour de la présence de Nathanael dans ma vie. Depuis ses premiers gestes dictés par la frayeur, il avait occupé sans discontinuer ma pensée et inspiré mes projets. Pas une seconde, je n'avais hésité. Comment aurais-je su que ce serait pour le restant de mes jours ?

Je crois n'avoir jamais trompé personne avant sa venue. Ça n'avait jamais été nécessaire. Même enfant, je n'étais pas cachottière. J'avais appris un jour la leçon du mensonge qui m'avait ôté toute envie d'y revenir. Mon père m'avait demandé si je savais comment la vache était sortie de l'étable. Je le savais pour l'avoir vu par hasard : ma sœur avait oublié de fermer le loquet de la porte de l'étable quand elle et l'ouvrier agricole étaient montés au grenier à foin ; le vent avait poussé la porte et la vache s'était faufilée nonchalamment vers le soleil de la fin d'après-midi. Les dommages n'avaient pas été graves, du moins pour la vache. Mais moi, j'étais torturée par mon secret. Je ne comprenais pas la raison des chaudes larmes que je versai sur mon oreiller. Mais quand nous fûmes à table le lendemain, mon père demanda à la cantonade si nous avions laissé la porte de l'étable ouverte de sorte que la vache s'était échappée, de nouveau les larmes me montèrent aux yeux. En fixant résolument ma soupe, je réussis à les empêcher de couler, et quand mon père me questionna, je répondis non. Ce n'était pas vraiment un mensonge mais c'est ainsi qu'il m'apparaissait. Je n'ai jamais pu effacer le sentiment d'avoir été complice de ma sœur. Je voulais parler à mon père et tout lui avouer, mais ç'aurait été dénoncer en même temps la faute de ma sœur et je ne le pouvais pas. Je sens encore la culpabilité qui étouffait ma poitrine avec une telle force que je respirais difficilement. Cela semble une réaction exagérée puisque je n'avais rien fait de mal. Et pourtant, le faux-fuyant et le secret me minaient.

Tromper avait signifié dissimuler quelque chose de mal. Je n'avais pas le sentiment de cacher quelque chose de mal. Je ne pensais pas que la situation présente avait été au départ une tromperie. À l'origine, j'avais agi sans réfléchir et, plus tard, quand j'avais découvert ce qui avait amené Nathanael à la ferme, je n'avais pas vu de raisons de ne pas le garder.

Nathanael me remerciait souvent de lui permettre de rester. Le jour du premier anniversaire de son apparition dans le poulailler, me serrant étroitement contre lui, il avait doucement murmuré dans mon cou sa gratitude.

– Je te dois ma vie, maintenant et à jamais. Tu penses que je ne le sais pas ? Tu penses que je l'oublierai ? Le courage dont tu fais preuve chaque jour… Ta force… Pour me punir moi-même, je me dis que je vais te quitter, pour te débarrasser de moi et du danger que je suis. Mais j'ai peur. Je veux vivre.

Je n'aimais pas l'idée qu'il se sente redevable envers moi et le lui dis. Je lui dis de se calmer ; il n'avait pas à se faire de souci, ni pour moi ni pour lui. Moi aussi, je voulais qu'il vive. Et plus l'hiver s'avançait, jour après jour, plus je devenais ferme et assurée. Je commençais à dresser mon plan et à organiser son départ.

Les événements et ma raison me firent comprendre que plus vite Nathanael et Marie pourraient être rendus à la liberté, plus grandes seraient leurs chances de survie. D'après ce qu'avait dit Karl, il faudrait qu'ils prennent la route quand la forêt serait en feuilles car, en hiver, on y voyait beaucoup mieux dans le sous-bois dénudé. Mais au printemps, un autre risque surgirait, du fait des randonneurs plus nombreux sur les sentiers. Quand je fus sûre que la piste était le seul moyen de les sauver, alors que je ne l'étais plus du tout de pouvoir garantir leur sécurité chez nous, je commençai les préparatifs. La meilleure période était le début de mai, une fois les lilas fanés, même si certains arbres n'avaient pas encore toutes leurs feuilles. Je ne parlai pas à Nathanael de mon plan, mais je réfléchissais à ce dont il aurait besoin.

En mars, j'appris au marché que l'armée avait envahi l'Autriche. Pour moi, ce fut le signal. Sitôt revenue à la maison avec Marie, j'allai directement au poulailler pour m'entretenir avec Nathanael.

– Nathanael, j'ai entendu au village des nouvelles qui te concernent.

– On parle de moi au village ?

– Non, pas exactement, mais on dit que l'armée est entrée en Autriche et qu'elle l'a envahie.

– C'était une simple question de temps.

– Quoi qu'il en soit, Nathanael, tu es en danger ici.

– Qu'est-ce que tu veux dire par là ?

– D'après les villageois, quantité de gens vont affluer dans notre province pour s'enfuir en Suisse et même en France. Il faut que tu t'enfuies, toi aussi !

– Tu veux que je m'en aille ?

– Si tu tiens à la vie, tu dois quitter la ferme. Nous sommes dans un endroit très propice à ton passage en Suisse. On dit qu'il ne faut pas aller en France, seulement en Suisse. Donc, c'est là que tu dois aller.

– Je vois que tu as bien réfléchi à la question.

– En ce moment, nous préparons les champs. Quand viendra le temps des moissons, tu auras été prisonnier près de deux ans, si l'on compte le camp. Tu dois t'armer, physiquement et mentalement. On ne peut pas se résigner à ce que ces années soient perdues, qu'elles se soient enfuies pour rien. Nous devons vaincre.

– Pourquoi dis-tu des choses pareilles? protesta Nathanael abasourdi. Qu'as-tu à redire à ce que je reste ici? Quelqu'un nous soupçonne? Tu as entendu des rumeurs? Ça fait combien de temps que tu complotes pour te débarrasser de moi? J'étais tout près de croire que dans cet arrangement tu trouvais en partie ton compte. Que t'est-il arrivé? Tu ne veux pas que nous continuions comme nous sommes?

– Nathanael, nous en reparlerons mais, à présent, tu dois réfléchir à ceci. Au début, j'ai cru qu'il s'agissait simplement de toi et de moi, mais depuis j'ai découvert que nous sommes deux dans une multitude. Je n'imaginais pas que tout ça pouvait me concerner en quoi que ce soit. Puis, tu es venu et j'ai pensé que c'était simplement pour mon plaisir que tu étais ici. À présent, je me rends compte que s'ils te prennent en chasse, je ne pourrai plus dormir. Je suis aussi traquée. Je me suis demandé ce qu'il y a en toi de différent et je ne connais pas encore la réponse. Je pensais que la politique était une affaire lointaine mais je l'ai découverte… dans mon poulailler. Et au couvent. Il m'a fallu tout ce temps pour m'apercevoir que je suis douée pour décider. Je pensais que j'étais trop stupide. Jamais encore je n'avais rencontré de Juif. Je n'ai jamais rencontré de Chinois mais je sais maintenant qui sont les Chinois. Je pensais que c'était compliqué mais, même moi qui n'ai pas fait d'études, qui ne suis qu'une campagnarde, une coquetière, j'ai pu saisir la vérité. Quand tu m'étreins, Nathanael, tu es aussi un Chinois et je t'aime.

– Je t'en prie, Eva, laisse-moi.

Nathanael était bouleversé et il ne voulait pas que je le voie pleurer.

Je ne m'attendais pas à cette réaction quand j'avais abordé le sujet de sa fuite auquel je pensais depuis si longtemps. Je m'y étais résolue sans le consulter et ma décision l'avait pris de court.

Dans un certain sens, il aurait été plus facile de continuer ainsi, avec Nathanael dans le poulailler. Nous nous sentions à l'aise dans nos habitudes et cela se passait bien. Nathanael avait réussi à s'adapter au poulailler et, au fil du temps, nous avions amélioré son quotidien : un bain une fois par mois, souvent plus, de bons repas, de l'affection. De temps à autre, sous prétexte d'emballer des légumes, je lui rapportais un journal du village. Les informations que la presse propageait étaient rarement fiables, néanmoins Nathanael lisait et relisait le journal-emballage jusqu'à ce que je lui en trouve un nouveau. J'avais éconduit la femme qui me harcelait au marché pour que je me joigne à son groupe et m'abonne à son mensuel, jusqu'au jour où je m'avisai que, faute de mieux, Nathanael s'intéresserait à cette feuille de chou. Le jour de son anniversaire, je lui en offris le premier numéro. Il prétendit l'avoir apprécié mais, à mon avis, ce n'était pas la qualité du journal qui lui avait plu, mais ç'avait été pour lui une variante reposante comparée aux journaux du gouvernement, et un moyen différent d'évaluer ce qui se passait dans le monde. En fait, il ne prenait jamais aucune information pour argent comptant et il m'apprit à lire les journaux avec l'esprit de contradiction : de tout ce qu'avançait l'article, seul le contraire pouvait être vrai ou n'était même qu'une demi-vérité. Quand la presse recommandait d'utiliser moins de graisse pour faire la cuisine parce que c'est meilleur pour la santé, il fallait lire : à cause de la pénurie de matières grasses, on ne trouvera sur le marché ni beurre ni margarine pour les gâteaux ou la friture ; donc, mieux vaut oublier définitivement les matières grasses ou leur trouver des substituts.

Quoi qu'il en soit, Nathanael était chez lui dans le poulailler. Il avait pris presque entièrement en main l'élevage de poulets. La plupart du temps, c'était lui qui ramassait les œufs, et il surveillait les volailles. Depuis qu'il régnait sur le poulailler, il n'y avait plus d'oiseaux malades ni de combats entre coquelets. Il repérait souvent les volailles qui commençaient à perdre leurs plumes bien avant que je m'en avise. Le soir, il poussait doucement les poules hors des nids pour éviter qu'elles prennent l'habitude de couver, car alors elles cessaient de pondre. Je lui avais enseigné les points à surveiller et Nathanael, promu expert, m'indiquait les futures bonnes pondeuses et les poulettes qu'il fallait éliminer, encore que cette idée lui faisait horreur.

13

Nous étions toujours régulièrement aux prises avec le contrôleur de l'Office de l'agriculture. Dénué d'expérience en matière de production d'œufs, il se fondait sur les directives de l'Office central pour détecter les défauts et les tares de notre exploitation. Il critiquait nos méthodes de mélange d'aliments, ce en quoi il avait raison, mais nous ne pouvions pas faire autrement. Il voulait aussi que nous bâtissions une pièce réservée à la seule nourriture car on ne pouvait empêcher qu'elle soit parfois infestée par des insectes et parce que les rats trouvaient souvent moyen de la piller avant que nous ayons épuisé les réserves. Je ne pouvais envisager de faire construire cette pièce, nos disponibilités suffisant tout juste aux nécessités urgentes. En plus du coût des matériaux, il aurait fallu engager et payer un ouvrier pour effectuer le travail. Je m'étais fixé pour règle d'être toujours d'accord avec le contrôleur de l'Office. Mon mari avait choisi cette politique et mon expérience me disait qu'il était sage de la poursuivre. J'obtins de Karl qu'il construise le long du poulailler une passerelle vers une des fenêtres, de façon que le chat puisse attraper les mulots qui s'y introduisaient.

Entre les vaches, les cochons et le potager, la ferme offrait assez de distractions pour occuper le temps du contrôleur ; je lui montrais tout, et nous discutions de tout, à l'exclusion du poulailler. Un jour, pourtant, il exprima le désir de le visiter ; c'était une bonne idée, dis-je, car j'attendais ses conseils en vue de le réparer et de l'améliorer afin d'augmenter la production d'œufs. Mais, arrivée à la porte, la main sur le loquet, je lui demandai brusquement s'il avait apporté d'autres chaussures car je craignais qu'il introduise des organismes étrangers dans le poulailler. Il n'avait rien d'autre à se mettre aux pieds, déclina mon offre de lui prêter les bottes de mon mari et n'entra pas. J'avais en réserve sept ou huit autres arguments, au cas il aurait fait trois pas de plus, mais je n'eus pas à les utiliser.

En fait, je m'en tirais plutôt bien avec le contrôleur de l'agriculture. À mon avis, nous comptions au nombre de ses plus gros producteurs d'œufs et il ne regardait jamais de très près ce qui se passait à la ferme. Il approuva distraitement que Marie soit venue travailler chez nous et fit remarquer que nous avions sûrement de quoi l'occuper.

Quand approchait la visite du contrôleur de l'Office de l'agriculture – elle avait généralement lieu une fois par mois mais cela pouvait varier –, nous donnions un coup de propre dans certains coins de la ferme, délaissés le reste du temps car ils étaient moins indispensables à la bonne marche de l'exploitation. Bien entendu, le contrôleur aurait pu choisir n'importe quel point sur lequel la ferme n'était pas conforme aux normes : critiquer les conditions sanitaires de la réserve, nous reprocher de ne pas retraiter plus soigneusement le fumier ou s'indigner devant les insectes qui barbotaient dans l'auge. Nous négligions de retourner régulièrement le foin, si bien que des bestioles s'étaient installées dedans. Et comme personne ne prenait la peine de boucher les trous sous la porte et de couvrir systématiquement la nourriture, les rats venaient se servir. Le jour dont je parle – c'était en fin août 1938 –, la fraîcheur du soir s'annonçait déjà sous le soleil encore haut. J'allai chercher dans la cage où j'isolais les oiseaux à vendre une poule que Nathanael m'avait signalée; elle avait des bouffissures autour des yeux, les oreilles décolorées, elle pondait peu et montrait des signes de maladie avancée. Étant donné la visite imminente du contrôleur de l'agriculture, je m'apprêtais à la faire disparaître. D'habitude, j'utilisais un couteau pour tuer les volailles destinées à la consommation mais, cette fois, la poule étant peut-être contagieuse, je voulais éviter que du sang contamine le sol et je lui tordis le cou d'un coup sec. Puis j'emportai la bête à la maison où j'avais mis une bassine d'eau à chauffer; en la tenant par les pattes, je la plongeai la tête la première dans l'eau bouillante et récitai lentement l'alphabet de bout en bout avant de la ressortir et de la plumer. Je l'emportai ensuite près du vieux bidon où nous incinérions nos ordures. J'y mis l'oiseau, l'arrosai de kérosène et allumai le feu. Marie m'avait suivie à la trace pendant ces opérations, c'était la première fois qu'elle me voyait éliminer une bête. Quand elle comprit que je faisais brûler la poule, elle se mit à pleurer doucement.

– Marie, ma chérie, ne t'inquiète pas, la poule était malade, elle aurait pu donner sa maladie à toutes les autres. Tu imagines le désastre… Le type de l'Office de l'agriculture doit venir bientôt et s'il voit la poule malade, il peut condamner la ferme tout entière. Il peut m'obliger à détruire tous nos œufs et me retirer définitivement l'autorisation de vendre. Ce serait une catastrophe pour nous tous. Ne pleure pas, Marie, nous avons d'autres poules…

Mais elle était inconsolable. Horrifiée, tremblante, elle regardait la poule flamber, grésiller, crépiter dans le feu. En fait d'animaux, elle ne connaissait que les toutous et réagissait à leur sort en petite citadine, refusant d'établir un lien entre la nourriture dans son assiette et les oiseaux de la basse-cour. L'odeur de poulet grillé, si appétissante d'habitude, était corrompue par celle du fuel et de je ne sais quelle ordure collée au fond du bidon ; elle empuantissait toute la ferme. Je m'approchai de Marie qui repoussa mes avances : une femme capable d'une telle atrocité peut l'être de bien d'autres.

J'étais souvent frappée par l'inaptitude totale de Marie à la vie rurale. C'était ridicule d'envisager qu'elle demeure longtemps chez nous ; elle aurait même pu se trahir elle-même et c'était sûrement pourquoi elle avait été la première à quitter le couvent. Karl et Olga n'admirent jamais tout à fait qu'elle habite chez nous. Quant à elle, après son long mutisme, elle semblait s'ouvrir timidement à nos activités d'agriculteurs, mais ce n'était pas sa nature.

On ne peut pas dire qu'elle ait jamais fait partie de la famille. Avant son arrivée à la ferme, nous étions loin de former une famille au sens où beaucoup l'entendent. Malgré les liens du sang, nous étions peu unis. Chacun plaçait ses besoins personnels avant ceux des autres et ceux de l'exploitation. Chacun s'investissait avec fougue dans ses projets et n'accordait à la communauté que ses moments perdus. Pendant la période où je dirigeai l'exploitation, j'exigeai très peu d'Olga et de Karl. Après l'arrivée de Nathanael, je préférais les jours où mes enfants me laissaient seule. Je maîtrisais parfaitement mon comportement – en fait, j'étais plus détendue qu'avant –, mais je préférais qu'ils ne soient pas à la maison. Je n'avais pas à m'en tourmenter car eux aussi préféraient passer leur temps avec leur patrouille, dans leur chambre ou à randonner et s'activer avec les H.J.

Marie était toujours étrange ; parfois, pourtant, elle me répondait. C'est-à-dire que si j'insistais, simplement pour me rassurer sur le fonctionnement de sa voix, elle me répondait à voix haute au lieu de hocher la tête ou d'user d'une mimique pour me signifier sa réponse. Elle ne parlait à personne d'autre. Même les bêtes l'évitaient, à croire qu'elles percevaient son étrangeté. Elle était incapable de suivre des instructions et l'on ne pouvait compter sur elle dans aucun domaine, même pas pour prendre soin de sa personne. À son silence, à sa froideur, je réagissais en refusant de les trouver bizarres. Quand elle laissait une question sans réponse, je ne manifestais ni colère, ni irritation. J'acceptais totalement son mutisme, comme on accepte le silence et le refus de répondre d'une vache. Marie s'adaptait à ma compagnie ; je dirais même que, à certains égards, elle m'acceptait et comprenait que je n'étais pas une ennemie. Pour moi, son silence était une menace ; il était clair qu'elle était intelligente et qu'elle avait tout simplement choisi de s'isoler de nous. Je craignais beaucoup qu'elle ne découvre la présence de Nathanael terré dans le poulailler. Elle aurait pu remarquer que je subtilisais de la nourriture et en conclure que quelque chose n'était pas normal. Elle était toujours là. Il m'était impossible de me débarrasser d'elle en l'envoyant dans la pâture du fond, au potager ou n'importe où ailleurs. Pour Nathanael, elle était un obstacle : il ne pouvait plus prendre de bains à la maison, jamais plus il ne pouvait passer la nuit dans mon lit. Il ne se plaignait pas d'être privé de ces plaisirs et de quelques autres. Pour le bain, je lui apportai davantage d'eau et du savon, afin qu'il se lave dans le poulailler. Il comprenait pourquoi mais ne fit jamais allusion à la raison pour laquelle nous devions à présent recourir à ce système. Comme Marie ne posait pas de questions, je n'avais aucun moyen de savoir ce qu'elle aurait pu remarquer, si bien que je la soupçonnais de tout observer et que j'étais plus prudente que jamais. Si je voulais porter un journal à Nathanael, mes enfants ne se seraient même pas aperçus que ce journal, posé un moment sur la table, n'y était plus ; en revanche, Marie l'avait peut-être vu là et avait noté sa disparition que rien n'expliquait. Elle n'en aurait rien dit, bien sûr, mais c'était comme si elle exerçait une surveillance dans la ferme. Le fonctionnaire de l'Office de l'agriculture la considérait comme un travailleur de l'exploitation et, partant de là, il attendait de nous un accroissement de la production d'œufs et de la taille de la basse-cour. Selon son estimation, quatre ouvriers travaillaient sur l'exploitation, ce qui voulait dire qu'il attendait un rendement précis d'une ferme de la taille de la nôtre sur laquelle quatre personnes auraient travaillé. Nous ne l'avons jamais approché car le fonctionnaire aurait dû faire ses calculs en se fondant sur un peu plus d'une personne pour faire tourner l'exploitation, moi seule. Puisque nos objectifs se concentraient de plus en plus sur les pondeuses et les œufs, il était normal que je passe plus de temps au poulailler. Tout ce que je pouvais faire pour améliorer le bâtiment, la nourriture et l'état de la volaille était constructif. Aussi le temps supplémentaire que je passais au poulailler ou près des poulets comptait-il pour du temps de travail. C'était loin d'être vrai... Plus le séjour de Nathanael se prolongeait, plus nous avions à nous dire. Au fil des jours, notre liaison devenait plus complexe; notre dépendance mutuelle s'intensifiait et notre attachement se renforçait. J'étais le seul être humain que Nathanael avait approché, le seul auquel il avait parlé depuis qu'il était chez nous. Sa dépendance à mon égard était évidente. Je savais qu'il comptait entièrement sur moi et je l'avais intégré à ma vie.

Le matin, ma première pensée était pour Nathanael. Sitôt que ma conscience s'éveillait, au chant des coqs, j'aspirais avec impatience à le voir, tenaillée par mon instinct protecteur et par mon désir d'intimité. Je sentais que si, dès l'aurore, je constatais que Nathanael était là en sécurité quand j'allais nourrir et abreuver la volaille, la journée entière serait sauve, Nathanael serait sauf. C'est pourquoi notre première étreinte de la journée, brève mais chaleureuse, m'apaisait infiniment. Nathanael m'enlaçait lentement et fortement dans la rumeur croissante des caquetages, peut-être soulagé lui aussi que je sois encore là pour le protéger. J'aurais eu l'impression d'être une incapable si Nathanael avait été traqué dans la ferme. C'est pourquoi, lorsque la rumeur de l'incursion dans le couvent nous était parvenue, j'avais senti l'urgence de l'expédier dans un lieu réellement sûr.

– Mais qu'entends-tu par un lieu réellement sûr, Eva? Qu'est-ce qui te fait penser qu'il existera si je passe une frontière?

– Nathanael, n'essaie pas de jouer au plus malin avec moi. Tu sais ce que je veux dire. Les sœurs sont au courant de beaucoup de choses, en particulier à propos de Marie. Nous n'avons aucun moyen de savoir si sœur Karoline n'a pas été forcée de dire à la Gestapo ce qu'elle sait sur elle et sur l'endroit où elle se trouve. Qui peut dire qu'en cet instant précis, nous ne sommes pas espionnés?

En vérité, je ne pensais pas que sœur Karoline révélerait jamais quoi que ce soit à la Gestapo, même sous la torture, mais, du simple fait de la présence de nombreux adultes et enfants au couvent, un risque existait. Mon désir de mettre Nathanael à l'abri était également lié à mon vœu d'accomplir pleinement ma mission. Le protéger signifiait qu'il devrait survivre longtemps au-delà des mois vécus dans le poulailler. L'avais-je abrité pour mon plaisir personnel? Était-il mon jouet clandestin? Je ne pouvais pas le considérer plus longtemps de mon seul point de vue. Quelle que soit la signification qu'il avait pour moi, dans ma vie, elle était secondaire par rapport à sa place dans son monde à lui. Je ne me leurrais pas: il n'était pas venu simplement pour m'apporter la chaleur et la tendresse qu'il m'avait données. Je pensais aux sœurs du couvent, entassées comme des bêtes dans des fourgons, arrachées à leur demeure, à leur existence, et qui criaient peut-être, refusaient de monter, qu'on poussait et malmenait pour les embarquer. Elles voyaient les gens qu'elles avaient tenté de défendre se débattre comme elles, avec elles, et devaient être doublement torturées car elles n'avaient pas réussi à les sauver. Désespoir et peur provoqués par leur arrestation ; angoisse, douleur et culpabilité suscitées par celles des autres. Cette scène, je n'aurais pas supporté qu'elle se déroule chez nous, avec Nathanael et moi pour protagonistes. Je ne voulais pas qu'une fin hideuse détruise la beauté des mois qui venaient de s'écouler, la relation délicate que Nathanael et moi avions créée. Mieux valait qu'il parte sur-le-champ ; un jour de plus ici permettrait à la Gestapo de le trouver. Je ne m'inquiétais pas d'être arrêtée. Je n'avais pas de raisons de penser à quel point les conséquences en pourraient être sinistres, irréelles aussi. Je m'attendais à une arrestation, suivie d'une mise en liberté ; la torture et l'exécution, je ne les avais pas imaginées. Mais je savais que, pour lui-même, Nathanael s'attendait au pire ; non sans raison. Il avait vécu pendant ces deux ans persuadé que je le sauvais d'une mort certaine. Je ne savais pas alors combien c'était vrai. Je le soupçonnais d'exagérer mais n'avais pas les moyens d'étayer mon opinion. La puissance de ses sentiments pour moi dut naître en partie de sa conviction que ma protection le garantissait de la mort. Une opinion que je ne partageais pas mais que je n'avais jamais jugé nécessaire de combattre.

Éveillée dans mon lit, Marie tout près de moi, je sentais le silence et l'espace autour de la ferme. Sachant Nathanael dans le poulailler, mon besoin d'assurer sa sécurité et de l'envoyer bien loin était impérieux et irrévocable. Les périls qu'il pourrait encourir sur la route semblaient minces comparés à celui d'être débusqué dans mon poulailler, ce qui pour moi était inacceptable et d'autant plus intolérable que la menace se précisait. Je tentai d'aborder le sujet en douceur mais la proximité de Nathanael me rappelait tout ce que j'allais perdre. Ce deuxième sacrifice, renoncer à Nathanael, était ce qui validerait le premier, celui de m'être exposée au danger. D'une certaine manière, il n'y avait pas d'autre façon d'envisager la situation et de conclure différemment.

D'autres problèmes restaient à examiner. Le convaincre de partir. À quelle date? Comment? Avec Marie? Je devais être sûre qu'il suivrait exactement mes instructions pour être certaine qu'il ne se ferait pas prendre. Emmener Marie serait un handicap pour lui mais, dans mon esprit, cela allait de soi. Elle devait partir avec lui. Du moment que je le lui demandais, il devait s'exécuter. Il me fallait compter sur l'homme que je connaissais pour protéger Marie. Je le savais : si je le lui demandais, Nathanael ferait sien mon désir que Marie vive elle aussi. Je lui fis remarquer que tout ce que nous avions enduré pour elle serait vain si elle était découverte. Jamais elle ne serait capable de se défendre seule, c'était l'évidence, mais lui serait capable de la conduire en lieu sûr, où que ce soit. Il faudrait assumer le handicap qu'elle constituait. Nathanael comprendrait.

– Tu veux que Marie parte avec nous?

– Nous?

– Mais avec qui, alors?

Je ne pouvais pas parler. L'idée ne m'avait pas effleurée. Nathanael pensait que je partirais avec lui! Il s'était totalement mépris sur mes intentions... Habitué dès son arrivée à s'en remettre à moi pour tant de choses, il avait peur de se retrouver livré à lui-même. J'étais anéantie. La réalité de la séparation imminente surgit devant moi comme un abîme que rien n'annonce. Subitement accablée, je me levai, quittai le poulailler sans un mot, traversai le potager, escaladai le tertre et redescendis de l'autre côté.

Je sanglotais toujours à perdre haleine quand je me rendis compte que Marie m'avait suivie, comme toujours, sans doute dès qu'elle m'avait vue sortir du poulailler. J'avais alors perdu tout contrôle. Marie, qui m'avait toujours vue maîtresse de moi et ne me connaissait pas d'émotions, était bouleversée et terrorisée par le désespoir que trahissaient mes sanglots; elle ne savait comment m'aider, si j'étais malade ou blessée. Alors, pour la première fois depuis qu'elle vivait chez nous, elle me parla spontanément:

– Ma coquetière chérie, vous devez être forte. Il le faut. Qu'est-ce que je peux faire pour vous? Je voudrais vous aider... Je vous en prie, ne pleurez pas comme ça!

Ma crise n'était pas de celles qu'aurait pu calmer la surprise de voir Marie tenter de m'aider. J'étais en train de déverser l'inquiétude et l'angoisse accumulées depuis deux ans. Les sanglots qui secouaient mon corps étaient comparables aux contractions d'un accouchement, à l'expulsion naturelle de ce qui s'y était développé et y avait mûri. Marie m'avait enlacée; elle chuchotait dans mon cou, dans mes cheveux, s'efforçant de dire qu'elle était navrée, qu'elle désirait m'aider, qu'elle m'aimait. Elle s'était assise près de moi, là où je m'étais écroulée dans l'herbe. Je suffoquais. Hachée par les sanglots, ma respiration haletante m'obligeait à me redresser de temps en temps pour aspirer l'air car j'en avais trop expiré. Au bout d'un long moment, je finis par retrouver ma raison et la crise se mua en pleurs normaux et en reniflements ponctués de hoquets, comme en ont les enfants après une rage. Quelques minutes encore et j'essuyai mon visage avec mon tablier, me mouchai et m'assis sur mes talons pour regarder Marie dont le bras m'enserrait toujours les épaules. Son visage me dit qu'elle connaissait la nature de mon désespoir, qu'elle le savait sans remède; elle savait aussi qu'être vivant, c'est désespérer. Elle n'essaya pas de me consoler en niant le désespoir, en lui opposant raisonnement ou espoir. Elle partageait avec moi le vide et la tristesse ressentis.

Marie pourrait un jour regarder sa vie en face, comme je le faisais ce jour-là, et voir combien il est vain de se battre contre ce que l'on est. Sans comprendre grand-chose aux forces qui avaient contribué à faire de moi la personne que j'étais, je savais que cela ne faisait pas de différence. Même si j'avais pu relater l'histoire des générations qui m'avaient précédée et avaient joué un rôle déterminant sur le fait que j'étais en cet instant, sur ce tertre, derrière cette maison, je n'aurais pu le modifier. Croire que telle ou telle voie est la meilleure, être incroyant ou ne croire en rien étaient sans incidence sur la présence de Nathanael dans le poulailler. Ma vie était d'être fermière. Sans l'exploitation, je n'étais rien. Je ne pouvais concevoir d'échanger ma place avec celle de Nathanael, d'être traquée, menacée, déplacée. Cela n'aurait pas été moi. J'étais enfermée dans mon état de paysanne. Sinon, je n'étais rien. Soit j'étais la paysanne qui avait reçu Nathanael dans le poulailler, soit je n'existais pas. Je ne pouvais pas devenir quelqu'un d'autre. Au fond de mon cœur, tout du long, j'avais su que ce n'était pas pour toujours. Il me fallait vivre cette fin. De même, Nathanael ne pourrait pas comprendre que quelqu'un continue de vivre dans des conditions aussi pénibles. Volontairement. Il n'y avait pas de logique en cela, mais c'était inévitable. Même notre intimité ne pouvait réduire la pression des générations en moi.

Je passai le bras autour des épaules de Marie et nous restâmes assises dans l'herbe, serrées l'une contre l'autre dans une même tristesse, l'une et l'autre conscientes des changements survenus entre nous et en nous.

Alors que nous rentrions à la maison, je me dis qu'elle serait bientôt au courant du secret du poulailler.

Tout le monde remarqua immédiatement combien Marie avait changé. Nathanael, qui l'entendit parler, me fit observer qu'à présent, elle parlait même aux bêtes, comme nous l'avions toujours fait. Karl et Olga échangèrent un regard quand ils l'entendirent demander du pain au dîner. Ils n'osèrent pas faire de remarques mais, dans une maison où l'on parlait peu et jamais pour ne rien dire, les interventions épisodiques de Marie ne pouvaient être ignorées. Elle restait très réservée, pour ne pas dire réticente, à l'égard d'Olga et de Karl, et ne leur parlait jamais sans nécessité. Avec moi, quand nous étions seules, elle cherchait toujours à me prendre la main ou à toucher mes vêtements. Ayant enfin surmonté l'obstacle qui l'en empêchait, elle permettait à son impérieux besoin d'affection, si longtemps et farouchement nié, de faire surface pendant de brefs instants. Je ne comprenais pas grand-chose à ce qu'elle pensait mais je l'acceptais telle qu'elle était. Je lui rendais avec aisance et reconnaissance le réconfort qu'elle m'offrait, du moins est-ce ainsi que j'interprétais ses élans vers moi. À ces moments-là au moins, elle était enfin capable de donner à qui semblait avoir besoin d'elle plus qu'elle n'attendait d'autrui.

Quand je fus de nouveau capable de m'entretenir avec Nathanael, je ne pus aborder le sujet avec lui. Je sentais le désespoir monter, me saisir à la gorge, telle une présence menaçante qui occupait mon corps, oppressait ma poitrine et m'obligeait à modifier au plus vite le cours de mes pensées. Évidemment, Nathanael se gardait bien de parler de départ, espérant que j'avais renoncé à mon idée. Alors que je ne pouvais m'arrêter d'y penser, que je la retournais en tous sens, cherchant de nouveaux angles sous lesquels l'aborder. Au cours de mes conversations imaginaires avec lui, j'essayais de l'amener à faire ce que je voulais sans préciser ce dont il s'agissait. L'idée que je pourrais me joindre à lui, ou à lui et Marie, pour quitter le pays dépassait mon imagination. J'étais la ferme. Contrairement à eux, je ne pouvais pas m'en servir puis la fuir. Quand ils n'y étaient pas, je n'étais pas menacée. Je pourrai continuer à vivre comme avant, accomplir mes travaux de paysanne, élever mes pondeuses et vendre leurs œufs. C'était moi, c'était ma vie. Je devais les préserver. Une idée à peine formulée courait là-dessous : si je pouvais envoyer Nathanael et Marie vers la sécurité, vers la vie, je pourrais le faire de nouveau pour d'autres. C'était sous-entendu, n'est-ce pas, dans ma volonté de perpétuer l'exploitation ? S'ils survivaient grâce à elle, d'autres le pourraient aussi. Je parvenais à envisager le départ de Nathanael dans la mesure où je pourrais transmettre ce qu'il m'avait donné. Il m'avait ouvert les yeux sur un fléau parmi bien d'autres et montré comment je pouvais le combattre en faisant tourner l'exploitation, en demeurant dans les bonnes grâces du type de l'Office de l'agriculture, en produisant beaucoup d'œufs. C'est ainsi que je pouvais être utile. Nathanael m'avait désigné un mal et m'avait mise au défi de faire ce qui était en mon pouvoir pour lutter contre lui. J'avais découvert que je pouvais très partiellement combattre ce mal en aidant Nathanael à survivre. Mais de quelle utilité serait cette découverte si je partais avec lui ? Était-il égoïste de ma part de vouloir m'accrocher aux sentiments qu'il suscitait en moi ? Craignait-il de faire preuve d'égoïsme en me laissant derrière lui, aux prises avec le mal, risquant ma vie pour d'autres tandis que lui-même serait libre et hors de danger ?

Depuis le coup de main contre le couvent, plus rien n'était comme avant. Une présence cernait la ferme, rôdait autour d'elle. Du matin au soir, la routine quotidienne m'entraînait, me poussant d'une tâche à l'autre, me forçant à m'activer quand, en d'autres circonstances, j'aurais choisi de passer la journée à méditer ou le regard dans le vide ou encore la tête sous ma couette. Je ne pouvais éviter de voir chaque jour Nathanael dont la douceur et la délicatesse m'étaient désormais une torture. Comme j'aurais aimé faire disparaître entre nous et en moi l'idée de son départ. Mais rien de ce qui se passait ne m'apportait la plus mince raison d'hésiter ou de reconsidérer ma décision. Que ce soit rationnel ou non, Nathanael et Marie partiraient ensemble et je resterais.

Depuis qu'elle s'était mise à parler, Marie était pour moi une compagne beaucoup plus plaisante. Elle me suivait toujours, du lever au coucher, mais ne se contentait plus de me regarder, elle cherchait à participer à ma besogne. Elle n'avait aucune idée de la façon de s'y prendre mais son adresse semblait s'accroître en même temps que nos sentiments s'accordaient. Elle devint bientôt notre principale pourvoyeuse d'eau, au prix d'innombrables allées et venues entre le puits, l'abreuvoir et la cuisine car, n'étant pas assez robuste pour tirer un seau rempli, elle le remontait à demi-plein, ce qui multipliait sa besogne. Je n'ai pas remarqué qu'elle ait tant soit peu grandi chez nous mais il me sembla qu'elle prît des forces les dernières semaines, comme si elle pressentait qu'elle en aurait besoin. Quand je rassemblais draps et vêtements pour la lessive, elle accourait et imitait mes gestes, désireuse d'apprendre et d'alléger ma tâche dont elle percevait maintenant le poids.

Le temps qui passe est un facteur dont on est peu conscient dans une exploitation agricole. Les jours ne se distinguent pas les uns des autres; les événements y sont si minces que l'on se rappelle rarement lequel a précédé l'autre. Le cycle de la vie se déroule au rythme des saisons mais sur la base à peine perceptible des jours. En moi, cependant, la sensation de mouvement et d'impulsion, de délais et de dates limites s'imposait. Un beau jour, Karl et Olga m'annoncèrent en rentrant qu'ils avaient été choisis par la Hitler Jugend pour former l'équipe frère-sœur qui assisterait au congrès national du parti à Nuremberg. La Jugend paierait leur voyage et leur séjour et, là-bas, ils se joindraient à des jeunes venus de tout le pays pour défiler et célébrer ensemble l'État. Karl était fou de joie d'avoir été sélectionné pour un poste de chef plus élevé; l'idée de voir le Führer en personne et d'entendre son discours le transportait. Quant à Olga, elle brillait du reflet de la gloire de son frère qui lui valait de participer à cette extraordinaire manifestation.

C'est long deux ans, mais comme ils avaient passé rapidement. Karl avait presque dix-huit ans; il prévoyait son entrée à l'école d'officiers. Quand je le vis lors de la cérémonie de promotion, j'eus peine à le reconnaître vêtu de son uniforme et les cheveux ras. À distance, rien ne le distinguait des autres membres de la Jugend. Olga, ma fille, qui avait un an de moins, attendait avec impatience son année de service en ville mais elle hésitait à l'idée de me laisser seule avec Marie. Cette époque pervertie voulait que les complications créées par Karl et Olga disparaissent pratiquement au moment où Nathanael et Marie ne seraient plus là pour que j'aie à m'en tracasser.

Comme d'habitude, le congrès national aurait lieu en septembre, dans quelques semaines. C'était le moment d'organiser en détail le départ de Nathanael et de Marie, une date qui s'imposait d'elle-même. Les enfants partis, pensai-je, je pourrai utiliser le matériel de camping qu'ils laisseraient derrière eux. Karl n'emporterait pas sa boussole, sa gourde, ses gamelles et son sac à dos. Faire coïncider le voyage des fugitifs avec le congrès présentait des avantages inestimables. La majorité des gens seraient captivés par le congrès et ceux qui prévoyaient de prendre des vacances à ce moment-là seraient attirés vers le Nord et Nuremberg plutôt que vers la Forêt-Noire. Tous mes préparatifs seraient terminés. Il ne me resterait qu'à les prévenir; la veille peut-être, ou même le jour en question.

L'été s'achevait. Karl et Olga consacraient tout leur temps aux préparatifs de leur extraordinaire voyage, leur premier grand voyage, préoccupés surtout de leur uniforme et de leur forme physique. Ils sautaient de réunions en ateliers où ils apprenaient de nouvelles choses et s'exerçaient pour le grand congrès. Ils étaient si fiers, si convaincus que je m'en serais voulu de tempérer leur suffisance. Ils faisaient souvent allusion à leur père qui serait fier de ses enfants, de leur dévouement et de leur discipline. Depuis des années, j'avais eu maintes occasions d'observer que, dans leur optique, les tâches dictées par la Jugend l'emportaient de loin sur le travail scolaire. On n'y pouvait rien.

Finalement, ils partirent. Je ne leur avais pas connu ces visages souriants depuis qu'ils étaient bébés. Le soir même, je dis à Marie qu'elle pouvait coucher dans un de leurs lits mais elle répondit qu'elle préférait dormir avec moi. Nous nous étions habituées l'une à l'autre. Étendue auprès d'elle, je me rendis soudain compte que j'avais considéré son accord à mon projet comme allant de soi. J'avais continué de penser à elle comme à une enfant silencieuse alors qu'elle était à présent une jeune adulte réservée. Deux jours à peine nous séparaient de la date que j'avais fixée pour leur départ. Il fallait que je la prépare à ce nouveau changement dans sa vie, un changement qu'elle souhaitait encore moins que Nathanael.

– Marie, tu m'entends?

– Oui, coquetière.

– Il faut que nous parlions, Marie chérie, il le faut.

– De quoi faut-il parler?

– Il est temps que tu t'en ailles, Marie.

– Je ne vous quitterai jamais. Vous m'avez sauvée, vous êtes bonne pour moi. Vous êtes ma famille. Est-ce que je vous ai contrariée?

– Non, Marie. C'est pour ta sécurité. Pour que tu vives.

– Ici, avec vous, je suis en sécurité.

– Non, Marie. En apparence, c'est ce qui semble mais ça ne durera pas, ça ne peut durer. Les choses prennent un tour mauvais. Tu sais qu'ils ont arrêté les sœurs et veulent fermer le couvent. Tous les enfants qui y vivaient ont été emmenés. Un jour, ils viendront ici pour te prendre et, pas plus que les religieuses n'ont pu sauver leurs protégés, je ne pourrai te sauver, toi.

– Dans ce cas, je prends le risque avec vous. Les sœurs n'étaient pas tellement gentilles avec moi, vous savez. Elles m'ont accueillie avec froideur, elles n'avaient pas vraiment envie de me garder et se sont débarrassées de moi dès qu'elles l'ont pu. Je reconnais que je n'aime pas trop me faire câliner et c'est pour ça que je n'étais pas le chouchou des sœurs. Vous et moi, on sait très bien que je ne suis pas Marie. Je m'appelle Rebecca et je suis juive. C'est la raison de tout ce qui m'arrive. Je sais ce qui s'est passé pour mon père et son magasin, et pour tous les gens que nous connaissions. On ne nous aime pas. Mais vous, vous m'aimez, n'est-ce pas?

— Marie… Tu veux que je t'appelle Marie ou tu préfères Rebecca?

— Vous pourriez dire encore Marie, bien que je sache qui je suis et quel est mon prénom.

— Ça sera plus facile de continuer avec Marie. Oui, Marie, je t'aime. Mais c'est impossible. Ça ne va pas être facile de t'expliquer, mais j'ai confiance, j'espère que tu comprendras que rien n'est facile de nos jours.

— Coquetière, j'ai enfin trouvé la paix ici, avec vous. Vous n'allez pas me chasser maintenant! Je sais qu'un jour ils viendront et qu'ils me traîneront de force dans un lieu atroce. Mais jusqu'à ce jour, je resterai avec vous.

— Non, Marie, ce n'est pas ainsi que les choses vont se passer. Tu peux ne pas vouloir entendre raison mais un jour, j'en suis absolument certaine, tu te diras que j'ai bien agi. Jusque-là, je te demande de faire ce que je dis, d'autant plus que quelqu'un d'autre est impliqué.

Ma voix avait gagné en autorité. Je parlais à Marie comme s'il s'agissait d'un projet fixé depuis toujours et que, simplement, je ne le lui avais pas communiqué.

— Voilà ce qui va se passer : Nathanael et toi, vous franchirez la frontière pour être libres. Vous vous retrouverez de nouveau au milieu d'étrangers, mais

Nathanael s'occupera de toi. Tout vous paraîtra bizarre mais la police ne vous traînera pas de force jusqu'à un lieu atroce. Vous ne serez jamais menacés. Vous serez libres de décider ce que vous ferez. Ton père et ta mère, et les siens, espèrent que vous vous prendrez en main rapidement, que vous sentirez que ce sont eux qui vous ont donné l'avenir. Ils souhaitent que vous vous instruisiez, que vous ayez une belle famille et une longue vie, que vous soyez aussi heureux que possible. Vous vous rappellerez toujours votre mère et votre père, vous n'oublierez jamais sœur Karoline, malgré sa brusquerie et sa froideur, vous ne m'oublierez jamais, moi, la coquetière qui ai appris à vous connaître et à vous aimer.

Je saisis Marie dans mes bras, la serrai contre moi, laissant mes larmes couler sur son épaule et je la caressai avec douceur, sachant que jamais je ne l'oublierai. De ma vie je ne comprendrai les forces qui avaient rompu, qui avaient tordu sa vie mais je savais que le rôle que j'avais à y jouer s'achevait.

– Écoute-moi bien. Tu dois contrôler tes émotions comme moi les miennes. Sois certaine que ce qui doit être fait répond aux désirs de tes parents. Maintenant, allons voir Nathanael. Il est temps.

Nous avons mis nos robes de chambre et enfilé nos chaussures et nous sommes sorties dans l'air frais de septembre, le mois du plus pâle éclat de la lune. Arrivée près du poulailler, Marie s'arrêta et me regarda bouche bée. Elle ignorait visiblement que quelqu'un s'y trouvait. J'entourai ses épaules et la pressai contre moi pour l'assurer que je n'avais pas perdu la tête. La main sur la porte, j'avertis à voix haute :

– Nathanael, c'est nous, Marie et moi. Nous venons te voir pour parler de votre voyage.

Je l'entendis soulever les lattes de la cachette souterraine où il s'était réfugié en nous entendant approcher. Puis sa silhouette se dressa sous le perchoir.

Le souffle court, les yeux écarquillés, Marie regardait Nathanael surgir de la pénombre. Sa barbe et ses cheveux étaient à présent nets et soignés, ses vêtements propres. Sa grande carcasse était maigre, mais guère plus que celle de beaucoup d'hommes de notre région. Seul détail drolatique, ses lunettes auxquelles manquait toujours une branche et dont un verre était fêlé mais qu'il refusait obstinément d'abandonner. Marie se rapprocha de moi mais, voyant mon visage tranquille, elle se détendit un peu.

– Bonsoir, Marie, dit Nathanael en lui tendant la main. Bienvenue dans ma demeure. Je t'en prie, entre et installe-toi. Je suis charmé d'avoir quelqu'un à qui parler. J'aurais aimé pouvoir t'offrir quelque friandise mais, pour l'instant, je ne dispose que de nourriture pour volaille.

La manœuvre imaginée par Nathanael pour apaiser Marie fut un échec. Son ton sarcastique et ses excuses railleuses, si peu dans sa manière, m'avaient aussi choquée.

– Je t'en prie, Nathanael… Marie et moi avons parlé de son départ et je pense qu'il est temps que vous fassiez connaissance. Marie, tu comprends sûrement qu'il aurait été impossible que tu voies Nathanael avant ce soir. Il vit ici depuis presque deux ans. Il était étudiant à l'université et a été arrêté parce qu'il est juif. Il s'est échappé d'un camp et s'est réfugié dans le poulailler. Toi et lui traverserez la frontière ensemble.

– Eva, tu parles comme si la chose était déjà décidée, protesta Nathanael.

– Elle l'est, dis-je, du ton autoritaire que je m'étais récemment découvert.

Face à eux deux, je m'apercevais qu'il m'était aisé de garder une attitude distante et neutre. Sur ce point, je ne pouvais permettre aucun désaccord.

– Vous traverserez la Forêt-Noire. Après deux nuits de marche, vous franchirez la frontière et commencerez une nouvelle vie, une vie libre.

– C'est toi qui l'as décidé.

– Non seulement j'ai pris cette décision mais nous sommes tous d'accord. Nous savons tous ce que nous voulons pour chacun des autres et nous savons ce que nous voulons pour nous personnellement. Nous savons tous ce que sont les privations, les épreuves et la faim. À présent, vous allez découvrir ce qu'est la liberté. C'est ce que je veux. Je veux que Marie et toi puissiez vivre sans avoir à dépendre de ma protection. Je n'y suffis pas. Qui aurait pensé que les sœurs ne pourraient pas défendre les enfants qu'elles abritaient ? Qui pourrait jurer que cette ferme bénéficiera toujours du soutien du type de l'Office de l'agriculture. Je suis seule. Vous devez trouver un lieu où vous n'aurez pas besoin de la protection d'une coquetière isolée pour rester en vie. Ce n'est pas une solution.

Mes larmes coulaient doucement. J'aurais voulu crier ces mots mais l'habitude de me contrôler au milieu de la volaille m'en empêchait. Néanmoins la gravité de mes propos et de mon ton était claire.

Nathanael regarda Marie et tous deux s'approchèrent de moi pour me consoler. Leur courage, qui avait été inutile aussi longtemps que je veillais sur eux, s'affirmait. Nathanael reconnut en silence que j'avais raison; Marie ne l'admettrait qu'avec réticence car elle n'était pas encore assez mûre pour prendre la mesure de ses besoins personnels.

– Tu viens avec nous? demanda Nathanael dont le bras m'enlaçait toujours.

– Non, Nathanael, je ne viens pas. Marie et toi penserez à moi, la coquetière qui tous les jours se rend au poulailler. Et moi je penserai à vous, en route sous le couvert de la Forêt-Noire, en route pour un lieu où vous pourrez vivre délivrés de la peur. Nathanael, tu prendras soin d'elle, je veux dire jusqu'à ce qu'elle soit à l'abri des périls. Je compte que tu poursuivras tes études, que tu auras une famille et que tu vivras longtemps. Je serai heureuse de savoir que tout se passera ainsi.

Nathanael avait cédé. Il y avait sans doute réfléchi et s'était convaincu que cette solution était la meilleure. Marie se réfugia instantanément dans la sécurité du silence, pour amortir le choc de ce nouveau rejet et la crainte immédiate de s'attacher davantage à moi. J'acceptai son silence avec douceur et sans rancune. Elle avait raison.

Nathanael et moi n'avons pas eu de dernier tête-à-tête avant son départ.

Le lendemain, nous avons passé tous les trois la journée à la maison pour vérifier l'équipement que j'avais pris dans le matériel de camping de Karl. J'appris à Marie et à Nathanael comment se servir de la boussole et leur décrivis la piste que Karl et ses camarades avaient frayée dans la forêt. Sur ce point, j'étais tranquille : même s'ils ne la trouvaient pas, ils se débrouilleraient avec la boussole pour parvenir à la frontière. À présent, tous deux étaient impatients de se mettre en route et je dus batailler ferme pour qu'ils consentent à attendre la tombée du jour. Il fallait qu'ils accèdent à ma dernière demande et nous regardâmes s'éteindre les lueurs du soleil couchant.

En quelques heures, Nathanael et Marie avaient cimenté une association. La gentillesse foncière de Nathanael et le fait qu'il avait accepté la juste nécessité de ce départ et de ce voyage avaient eu raison des objections que Marie pouvait encore ruminer. Toute la journée, on n'avait cessé de faire allusion à « Marie et toi » ou à « Nathanael et vous » et il semblait à peine possible que Marie n'ait appris que la veille l'existence de Nathanael. Nathanael était intelligent mais l'esprit pratique n'était pas son fort ; Marie était accommodante à défaut d'être téméraire. Leurs chances de réussir l'emportaient. J'en étais sûre et je le leur dis et redis, espérant étouffer les doutes que l'un ou l'autre pourrait avoir eus.

Quand ils partirent – Nathanael en m'étreignant si longtemps qu'à bout d'endurance je le repoussai, Marie, les bras autour de mon cou, son corps mince parcouru de frissons, de tremblements et de sanglots –, je fus dépossédée.

Quelques semaines plus tard, une carte postale arrivait, portant un timbre et un cachet suisses, adressée à La Coquetière, aux bons soins du couvent ; elle portait deux signatures : « Rebecca » et « Coquetier ».

Dédié avec fierté à la mémoire de mes grands-parents

David Davis
né à Jedwabne, Russie (aujourd'hui Pologne), 1873
décédé à Brooklyn, New York, 1961

Dora Innerfield Davis
née à Myszyniec, Russie (aujourd'hui Pologne), 1883
décédée à Long Beach, New York, 1969

Abraham Hyman
né à Plonsk, Russie (aujourd'hui Pologne), 1869
décédé à New York, New York, 1920

Rose Weiss Hyman
née à Plonsk, Russie (aujourd'hui Pologne), 1879
décédée à New York, New York, 1973

Courageux pionniers du Nouveau Monde,
grâce auxquels nous fut épargné le sort de ceux
qui sont restés.

LIANA LEVI 🔲 *piccolo*

n° 1 Primo Levi, *Poeti* (inédit)
n° 2 Henry James, *Washington Square*
n° 3 Sholem Aleikhem, *Un conseil avisé* (inédit)
n° 4 Isabelle Eberhardt, *Yasmina*
n° 5 Ernest J. Gaines, *4 heures du matin* (inédit)
n° 6 Sholem Aleikhem, *Le Traîne-savates*
n° 7 Linda D. Cirino, *La Coquetière*
n° 8 Émile Gaboriau, *L'Affaire Lerouge*

Achevé d'imprimer en mars 2002
dans les ateliers de Normandie Roto Impression s.a.
61250 Lonrai
N° d'impression : 020623
Dépôt légal : mars 2002